令和7年版

司法書士

合格ゾーン

ポケット判
択一過去問肢集

2民法II 債権
親族
相続

は し が き

＜本書のねらい＞

　資格試験における短期合格の鉄則は、試験の出題傾向に合致した学習をすることです。司法書士試験もその例外ではありません。その意味で本試験に過去出題された問題は、試験合格のための参考資料の宝の山といえます。合理的学習の第一歩として、頻出とされる知識を「繰り返し」学習することにより、その出題内容と内容の深さの程度や、出題傾向を把握することが重要となります。本書は今後出題されることが予想される重要な過去問を選び出し掲載することにより、「繰り返し」学習を効率的に行うことが可能となっています。

＜本書の特長＞

⑴　膨大な過去問から本当に必要な知識を厳選し、体系別又は条文順に配列し直して掲載しました。また解答を導き出すのに必要な知識を解説部分にコンパクトにまとめて掲載しました。

⑵　令和7年7月1日時点で施行が確実な法令に合わせて解説の改訂をしており、法改正により影響を受ける問題については、同日施行予定の法令で解けるよう過去問を編集し掲載しています。

⑶　問題ごとに過去問の番号を付しました。また、同系統の問題は代表的なものを掲載し、過去問の番号を連記しました。

⑷　左頁に問題を、右頁に解答・解説を掲載しているので、解いた問題をすばやくチェックできます。それにより、弱点を早く発見でき効率的な総復習に役立ちます。

⑸　あらゆるところに持ち運びができ、通勤通学の電車の中など、コマギレの時間を有効活用できるよう、コンパクトなＢ６判で刊行しました。

　なお、さらに実践力を磨きたい方には、ＬＥＣの「精撰答練」の利用をおすすめします。質の高い予想問題を解くことで、さらなるレベルアップを図ることができます。

　司法書士試験合格を目指し勉学に励んでいる多くの方々が、本書を有効に活用することで１年でも早く合格されることを願います。

　2024年7月吉日

　　　　　　　　　　株式会社　東京リーガルマインド
　　　　　　　　　　ＬＥＣ総合研究所　司法書士試験部

本書の効果的利用法

左ページ

問題

学習項目を表示。

1 婚姻

婚姻の成立

時間のない直前期に絶対に押さえてほしい問題をマーキング！

001

A（女性）と婚姻しているB（男性）が、更〔...〕の届出をした場合には、これが受理されたとしても、Bとしての婚姻は、無効である。

002 平13-19-1

本書は、択一式試験問題を各選択肢ごとに掲載し、過去の本試験の出題実績は下記のように表記しています（法改正等により、問題として成立しなくなったものについては掲載していません）。
【例】平23-21-ア → 平成23年本試験において、問21のア肢として出題。

〔...〕効であるときは、再婚は、無効〔...〕ない。

平23-21-ア

婚姻をすることができる。

004 平23-21-イ

A（女性）には嫡出でない子B（女性）がいるところ、AがC（男性）と婚姻し、その後離婚した場合、BとCは、婚姻をすることができる。

「正解チェック欄」をつけました。直前期の総復習に、有効活用してください。

令和7年版 司法書士合格ゾーンポケット判例択一過去問肢集
2 民法Ⅱ

右ページ

解答・解説

出題知識の確認ができる
よう「司法書士合格ゾー
ンテキスト」のリンク先
を記載しています。

親族法

❶
婚姻

× **001**

配偶者のある者は、重□□□□□□□□□□□□□□□□□そ
して、732条の規定に違反した婚姻は、その取消しを家庭裁判所
に請求することができる（744）。したがって、BとCの婚姻が
当然に無効

問題を解く前に解答・解説が見え
ないようにしたい方は、本書には
さみ込まれた「解答かくしシート」
をご利用ください。

× **002**

離婚後に再□□□□□□□□□□□□□□□□□□□□□は、
取り消すこ□□□□□□□□□□□□□□□□□□□□□は、
婚姻関係が継続していたことになり、その結果、その離婚後の再
婚は、重婚（732）となる。しかし、民法は、重婚を無効とする
のではなく、取消原因（744Ⅰ）にとどめている

ポイントを集約した解説。
また、解説の重要なキー
ワードは青文字で強調し
ています。

○ **003**

直系血族又は3親等内の傍系血族の間では、婚姻をすることはで
きない（734Ⅰ本文）。ただし、養子と養方の傍系血族との間で
婚姻することは可能である（734Ⅰ但書）

× **004**

直系姻族の間では、婚姻するこ□□□□□□□□□□□□□□□
より姻族関係が終了した後も、□□□□□□□□□□□□□□□
BとCは、婚姻することはでき□□□□□

CONTENTS

第4編

債権総論

❶ 債権の学習にあたって

金銭債権

001 ☐☐☐   平30-17-ア（平2-3-3）

金銭債権について、外国の通貨で債権額を指定したときは、債務者は、履行地における為替相場により、日本の通貨で弁済をすることができる。

002 ☐☐☐   令2-19-ウ

消費貸借契約において利息に関する特約がなかった場合は、貸主は、借主に対して法定利率による利息を請求することができる。なお、当該消費貸借契約の締結は、商行為に当たらないものとする。

選択債権

003 ☐☐☐   平27-16-エ

第三者が選択権を有する場合には、選択の意思表示は、債権者又は債務者のいずれか一方に対してすれば足りる。

004 ☐☐☐   平27-16-オ

第三者が選択権を有する場合において、第三者が選択をする意思を有しないときは、選択権は、債権者に移転する。

◯ **001**

外国の通貨で債権額を指定したときは、債務者は、履行地における為替相場により、日本の通貨で弁済をすることができる（403）。

✕ **002**

貸主は、特約がなければ、借主に対して利息を請求することができない（589Ⅰ）。

◯ **003**

第三者が選択をすべき場合には、その選択は、債権者又は債務者に対する意思表示によってする（409Ⅰ）。

✕ **004**

第三者が選択権を有する場合において、第三者が選択をすることができず、又は選択をする意思を有しないときは、選択権は、債務者に移転する（409Ⅱ）。

選択債権の目的である給付の中に、後に至って給付が不能となったものがある場合において、それが選択権を有しない当事者の過失によるものであるときは、選択権を有する者は、不能となった給付を選択することができる。

選択債権についての選択は、債権の発生の時にさかのぼってその効力を生ずる。

○ **005**

債権の目的である給付の中に不能のものがある場合において、その不能が選択権を有する者の過失によるものであるときは、債権は、その残存するものについて特定する（410）。したがって、選択権を有しない者の過失による場合には特定しないため、選択権を有する者は、不能となった給付を選択することができる。

○ **006**

選択は、債権の発生の時にさかのぼってその効力を生ずる（411本文）。

債権総論

⓪ 債権の学習にあたって

① 債権の効力

債務不履行総説

007 ⬜⬜⬜
平29-16-イ

雇用契約上の安全配慮義務に違反したことを理由とする債務不履行に基づく損害賠償債務は、その原因となった事故の発生した日から直ちに遅滞に陥る。

008 ⬜⬜⬜
平6-6-2

代金支払期限の定めがない売買契約に基づく代金支払債務の履行遅滞に陥る時期及び消滅時効の起算点は、契約が成立した時である。

009 ⬜⬜⬜
平6-6-4

善意の不当利得者の不当利得返還債務の履行遅滞に陥る時期及び消滅時効の起算点は、債務者が履行の請求を受けた時である。

損害賠償

010 ⬜⬜⬜
平28-16-オ

債務者の責めに帰すべき事由により債務の履行が遅滞している間にその債務が履行不能となったとしても、その履行不能が債務者の責めに帰することができない事由によるときは、債務者は、その履行不能につき損害賠償責任を負わない。

✕ **007**

債務不履行に基づく損害賠償債務は、期限の定めのない債務であり、債権者から履行の請求を受けた時に履行遅滞となる（最判昭55.12.18）。

✕ **008**

期限の定めのない債務の場合、履行遅滞に陥る時期は、履行の請求を受けた時（催告のあった時）であり（412Ⅲ）、消滅時効の起算点は契約成立の時（166Ⅰ②）である。

✕ **009**

善意の不当利得者の不当利得返還債務は、法律の規定によって生ずる債務として、別段の定めなき限り期限の定めなき債務となる（大判昭2.12.26）。したがって、消滅時効の客観的起算点は「権利を行使することができる時」（166Ⅰ②）、すなわち債権発生の時から進行し、「履行の請求を受けた時」（412Ⅲ）から履行遅滞となる。

✕ **010**

債務者がその債務について遅滞の責任を負っている間に当事者双方の責めに帰することができない事由によってその債務の履行が不能となったときは、その履行の不能は、債務者の責めに帰すべき事由によるものとみなす（413の2Ⅰ）。したがって、当該債務者は、その履行不能につき損害賠償責任を負う。

金銭債務の不履行が不可抗力による場合であっても、債務者は、その金銭債務の遅延損害金を支払わなければならない。

貸金債務について年3パーセントの利率で利息を支払うとの約定がある場合において、貸金債務の遅延損害金について利率の約定がないときは、遅延損害金の額は年3パーセントの利率により定まる。なお、債務者が遅滞の責任を負った最初の時点における法定利率は、年5パーセントとする。

債務の不履行について損害賠償の額の予定があっても、債権者は、債務の不履行によって被った損害額がその予定額を超えることを立証すれば、その超過する部分について損害賠償の請求をすることができる。

債務の不履行による損害賠償について、当事者が金銭でないものを損害の賠償に充てるべき旨を予定した場合には、その合意は、有効である。

○ **011**

金銭の給付を目的とする債務の不履行による損害賠償については、債務者は、不可抗力をもって抗弁とすることができない（419 Ⅲ・Ⅰ）。

× **012**

本肢において、債務者が遅滞の責任を負った最初の時点における法定利率は年5パーセントであり、約定利率は法定利率を超えていない。したがって、遅延損害金の額は、法定利率である年5パーセントの利率により定まる。

× **013**

当事者は、債務の不履行について損害賠償の額を予定することができる（420Ⅰ）。この点、当事者が、損害賠償の額の予定をした場合において、債権者が、実際の損害額の方が大きいことを挙証して増額を請求することは許されない。

○ **014**

損害賠償額の予定の規定は、当事者が金銭でないものを損害の賠償に充てるべき旨を予定した場合に準用される（421・420）。

解除

015 ☐☐☐

選択権を有する債権者がした選択の意思表示は、債務者が債務の履行に着手するまでは、債務者の承諾を得ることなく撤回することができる。

016 ☐☐☐
平30-18-ア

債務の履行の催告と同時に、催告期間内に履行しないことを条件とする解除の意思表示をしても、この意思表示は無効である。

017 ☐☐☐
平2-7-ウ（平8-9-オ）

甲から乙、乙から丙に土地が売却され、丙に所有権移転の登記がされている場合、甲は乙の代金不払いを理由として契約を解除したとしても、丙に土地の引渡しを請求することができない。

018 ☐☐☐
平14-14-イ（平22-18-エ）

Aは、Bに甲建物を賃貸していたが、Bは、3か月前から賃料を全く支払わなくなった。Aは、Bに対し、期間を定めずに延滞賃料の支払を催告したが、相当期間が経過してもBが延滞賃料を支払わなかったので、賃貸借契約を解除する旨の意思表示をした。この場合、解除は無効である。

× 015

選択の意思表示は、相手方の承諾を得なければ、撤回することができない（407Ⅱ）。

× 016

当事者の一方がその債務を履行しない場合において、相手方が相当の期間を定めてその履行の催告をし、その期間内に履行がないときは、相手方は、契約の解除をすることができる（541本文）。そして、相当の期間内に履行がないことを条件として催告とともになした解除の意思表示も有効である（大判明43.12.9）。

○ 017

甲→乙→丙と土地が売却された後に甲が乙との契約を解除した場合、丙は解除前の第三者であり、登記を具備しているため、545条1項ただし書によって保護される。

× 018

当事者の一方が履行遅滞に陥っている場合、その相手方が契約を解除するには、相当の期間を定めて履行を催告しなければならない（541本文）。しかし、期間を定めずにした催告であっても無効となるものではなく、その後相当な期間が経過したときは解除権が発生する（大判昭2.2.2）。

Aは、Bに甲建物を賃貸していたが、Bは、3か月前から賃料を全く支払わなくなった。Aは、Bに対し、相当期間を定めて延滞賃料の支払を催告した。Bは、催告の期間経過後に延滞賃料及び遅延損害金を支払ったが、その後、Aは、Bに対し、賃貸借契約を解除する旨の意思表示をした。この場合、解除は無効である。

土地の売買契約において、登記手続の完了までに当該土地について発生する公租公課は買主が負担する旨の合意があったが、買主がその義務の履行を怠った場合において、当該義務が契約をした主たる目的の達成に必須とはいえないときは、売主は、特段の事情がない限り、当該義務の不履行を理由として契約を解除することができない。

不動産の買主は、売主が当該不動産を第三者に売却し、かつ、当該第三者に対する所有権の移転の登記がされた場合には、履行不能を理由として直ちに契約を解除することができる。

買主が数人ある売買契約において、買主の1人が解除権を放棄したときは、他の買主は、契約を解除することができなくなる。

土地の売買契約が解除された場合には、売主は、受領していた代金の返還に当たり、その受領の時からの利息を付さなければならないが、買主は、引渡しを受けていた土地の返還に当たり、その引渡しの時からの使用利益に相当する額を返還することを要しない。

○ 019

解除権が発生した後であっても、解除の意思表示がされるまでに債務者が遅延賠償を添えて本来の履行を提供したときは、解除権は消滅する（大判大6.7.10）。

○ 020

契約の「要素たる債務」ではなく「付随的債務」の不履行にとどまる場合には、原則として、解除権は発生しない（最判昭36.11.21）。本肢の義務は「付随的債務」といえるので、売主は、特段の事情がない限り、当該義務の不履行を理由として契約を解除することができない。

○ 021

債務の履行が不能である場合には、債権者は、催告をすることなく、直ちに契約の解除をすることができる（542Ⅰ①）。

○ 022

解除権が複数当事者の一人について消滅したときは、他の者についても消滅する（544Ⅱ）。

× 023

売買契約が解除されると、買主に移転した目的物の所有権は遡及的に売主に復帰する。目的物の引渡しを受けていた買主は、それまでの間、所有者としてその目的物を使用収益することによって得た利益を売主に償還すべき義務を負う。

他人の不動産の売主が当該不動産の引渡義務は履行したが、所有
権を取得する義務を履行しなかったため、買主が売買契約を解除
した場合において、当該不動産の所有者からの追奪により買主が当
該不動産の占有を失っていたときは、買主は、解除に伴う原状回復
義務として、当該不動産の返還に代わる価格返還の義務を負う。

売買契約解除による原状回復義務の履行として目的物を返還することができなくなった場合において、その返還不能が、買主の責めに帰すべき事由によってではなく、売主の責めに帰すべき事由によって生じたものであるときは、買主は、目的物の返還に代わる価格返還の義務を負わない（最判昭51.2.13）。

❷ 責任財産の保全

債権者代位権

025 ☐☐☐   平29-17-エ

債務者が既に自ら権利を行使している場合には、その行使の方法
又は結果の良否にかかわらず、債権者は重ねて債権者代位権を行
使することができない。

026 ☐☐☐   平29-17-イ

債権者が被代位権利を行使し、その事実を債務者が了知した場合
であっても、当該債務者は、被代位権利について、自ら取立てそ
の他の処分をすることができる。

027 ☐☐☐   平26-16-ア改題

債権者代位権を行使するためには、代位行使が保存行為に当たる
場合を除き、代位行使の時点で履行期が到来している必要がある。

028 ☐☐☐   平12-7-ア

交通事故により受傷したAは、加害者であるBに対する損害賠償請
求権を保全するため、Bの資力の有無にかかわらず、Bが保険会
社との間で締結していた自動車対人賠償責任保険契約に基づく保
険金請求権を代位行使することができる。

債権総論

❷ 責任財産の保全

○ **025**

債権者は、自己の債権を保全するため必要があるときは、債務者に属する権利を行使することができる（423Ⅰ本文）。しかし、債務者自らが第三債務者に対する権利を行使している場合は、その権利の行使方法や結果の良否を問わず、債権者は、その権利を代位行使することはできない（最判昭28.12.14）。

○ **026**

債権者が被代位権利を行使した場合であっても、債務者は、被代位権利について、自ら取立てその他の処分をすることを妨げられない。この場合においては、相手方も、被代位権利について、債務者に対して履行をすることを妨げられない（423の5）。

○ **027**

債権者代位権を行使するためには原則として債権の履行期の到来が必要であるが、保存行為は、例外的に期限が到来しないときでも行使することができる（423Ⅱ）。

× **028**

交通事故の被害者が加害者に対して有する損害賠償請求権（709）も、債務者の資力の有無にかかわる金銭債権であるから、債務者であるBの無資力要件が満たされなければ、AはBの保険金請求権を代位行使することはできない（最判昭49.11.29）。

不動産の売主Ａの所有権移転登記義務をＢ及びＣが共同相続した
場合において、Ｂがその義務の履行を拒絶しているため、買主Ｄ
が同時履行の抗弁権を行使して代金全額の弁済を拒絶していると
きは、Ｃは、自己の相続した代金債権を保全するため、Ｄの資力の
有無にかかわらず、ＤのＢに対する所有権移転登記請求権を代位
行使することができる。

ＡがＢに対して有する金銭債権を被保全債権として債権者代位権
を行使する場合には、その被保全債権が発生する前からＢがＣに
対して有していた金銭債権を債権者代位権の目的とすることはで
きない。

Ｂの債権者であるＡは、ＢがＣに対して負っている債務について、
Ｂが消滅時効を援用し得る地位にあるのにこれを援用しないとき
は、Ｂに代位して消滅時効を援用することができる。

ＢとＣとの離婚後、ＢＣ間で、ＣがＢに対して財産分与として
500万円を支払う旨の合意が成立したが、Ｂがその支払を求めな
い場合には、Ｂの債権者であるＡは、Ｂに代位してＣに対し、これ
を請求することができる。

○ **029**

本肢の状況の被保全債権は、金銭債権であるが、責任財産の保全という債権者代位権の制度本来の適用場面ではなく、制度の転用の場面である。したがって、この場合、買主の資力の有無を問わず、その債権者代位権の行使は認められる（最判昭50.3.6）。

× **030**

債権者代位権（423）においては、被保全債権は発生当時の債務者の財産を共同担保とするものであるから、代位の目的とする債権の成立以前に存在している必要はない（最判昭33.7.15）。

○ **031**

債務者が別の債権者の消滅時効を援用し得る地位にあるのにもかかわらず、これを援用しないときは、債権者は、債務者の資力が自己の債権の弁済を受けるのに十分でない事情にある限り、時効援用権を代位行使することができる（最判昭43.9.26）。

○ **032**

財産分与請求権は、行使上の一身専属権に当たるため、請求の具体的な内容が確定するまでは代位行使することができない（423Ⅰ但書）が、具体的な内容が確定した後は、一般の債権と同様に代位の対象となる。

土地がCからBへ、BからAへと順次譲渡された場合において、BがCに対して所有権の移転の登記を請求しないときは、Aは、Bが無資力でなくても、BのCに対する所有権移転登記請求権を代位行使することができる。

不動産がAからBへ、BからCへと順次売却されたが、それらの所有権移転の登記が未了の間に、Dが契約書等を偽造して、その不動産につきAからDへの所有権移転の登記を経由してしまった場合、Cは、Bの債権者として、BがAに代位してDに対し行使し得る所有権移転の登記の抹消請求権を代位行使することができる。

不動産がCからB、BからAに順次売買されたにもかかわらず、所有権の登記名義人がCのままである場合に、Aは、Bに対する所有権移転登記請求権を保全するために、BのCに対する所有権移転登記請求権を代位行使するに当たっては、直接自己名義への移転登記手続を請求することができる。

Bの債権者であるAがBのCに対する動産の引渡請求権を代位行使する場合には、Aは、Cに対し、その動産を自己に直接引き渡すよう請求することはできない。

○ 033

登記又は登録をしなければ権利の得喪及び変更を第三者に対抗することができない財産を譲り受けた者は、その譲渡人が第三者に対して有する登記手続又は登録手続をすべきことを請求する権利を行使しないときは、その権利を行使することができる（423の7）。

○ 034

登記又は登録をしなければ権利の得喪及び変更を第三者に対抗することができない財産を譲り受けた者は、その譲渡人が第三者に対して有する登記手続又は登録手続をすべきことを請求する権利を行使しないときは、その権利を行使することができる（423の7）。この場合には、債務者の無資力要件は必要ではない。

✕ 035

債権者は、直接自己名義に移転することを請求することはできず、債務者名義に移転することを請求することができるにとどまる（大判明43.7.6）。

✕ 036

債権者は、被代位権利を行使する場合において、被代位権利が金銭の支払又は動産の引渡しを目的とするものであるときは、相手方に対し、その支払又は引渡しを自己に対してすることを求めることができる（423の3前段）。

AのDに対する債権がAからBへ、BからCへと順次譲渡された場合において、AがDに対して債権譲渡の通知をしないときは、Cは、Bの資力の有無にかかわらず、Bに代位して、債権譲渡の通知をするようにAに請求する権利を行使することができる。

BのAに対する債権を目的として、BがCのために質権を設定した場合において、BがAに対して質権設定の通知をしないときは、Cは、Bの資力の有無にかかわらず、Bに代位して、Aに対して質権設定の通知をすることができる。

Dが、Aから賃借した甲土地上に乙建物を所有し、これをCに賃貸していた場合において、Dが乙建物をBに売却したが、甲土地の賃借権の譲渡につきAの承諾が得られないときは、Cは、乙建物の賃借権を保全するために、Bの資力の有無にかかわらず、Bに代位して、Aに対する建物買取請求権を行使することができる。

A所有の不動産をBが賃借し、さらにCがBから転借している場合において、Dが不動産の使用を妨害しているにもかかわらず、その妨害の排除をAが請求せず、BもまたAに代位してその請求をしないときは、Cは、A及びBの資力の有無にかかわらず、AのDに対する妨害排除請求権をAに代位して行使するBの権利を、Bに代位して行使することができる。

○ **037**

債権の譲受人は、債権譲渡の通知を譲渡人に代位して行使することはできない（大判昭5.10.10）。これに対し、債権の譲受人は譲渡人に対して債権譲渡の通知請求権を有し、譲受人から更に債権の譲渡を受けた者は、債権者代位権の転用としてこれを代位行使することができる（大判大8.6.26）。

× **038**

債権の譲受人は、譲渡人に代位して債権譲渡の通知をすることはできない（大判昭5.10.10）。そして、債権質も債権譲渡と同様に、債権質権者は、質権設定者に代位して質権設定の通知をすることはできない（364・467）。

× **039**

借地人が所有建物と借地権を譲渡したが、借地権の譲渡につき地主の承諾が得られないときは、建物の譲受人は、建物買取請求権を行使することができる（借地借家14）。しかし、借地上の建物の賃借人は、建物賃借権を保全するために、建物の譲受人の有する建物買取請求権を代位行使することはできない（最判昭38.4.23）。

○ **040**

賃借人は、債務者である賃貸人の資力の有無にかかわらず、賃貸人の所有権に基づく妨害排除請求権を代位行使することができる（大判昭4.12.16）。そして、転借人が更に代位行使することもできる（大判昭5.7.14、最判昭39.4.17）。

債権者ＡがＢに対する50万円の金銭債権を保全するために、Ｂの
Ｃに対する100万円の貸金返還請求権を代位行使するに当たって
は、ＢのＣに対する債権が1個の契約に基づくものであっても、Ａ
は、Ｃに対し、自己の債権額50万円に限って支払を請求すること
ができる。

債権者は、被代位権利を行使する場合において、被代位権利が金
銭債権であるときは、第三債務者に対し、その支払を自己に対し
てすることを求めることができる。

債権者代位訴訟では、第三債務者及び債務者を被告とする必要が
ある。

第三者ＣがＡに対する債権を保全するため債権者代位権を行使し、
債権者Ａに代位してＡの債務者Ｂに対し金銭債務の履行を請求し
た場合に、ＢがＣに対して弁済したときは、その弁済は効力を有す
る。

第三者ＣがＡに対する債権を保全するために債権者代位権を行使
し、債権者Ａに代位して債務者Ｂに対し金銭債務の履行を請求し
た場合に、ＢがＡに対して弁済したときは、その弁済は効力を有す
る。

○ 041

債権者は、被代位権利を行使する場合において、被代位権利の目的が可分であるときは、自己の債権の額の限度においてのみ、被代位権利を行使することができる（423の2）。

○ 042

債権者は、被代位権利を行使する場合において、被代位権利が金銭の支払又は動産の引渡しを目的とするものであるときは、相手方に対し、その支払又は引渡しを自己に対してすることを求めることができる（423の3前段）。

× 043

債権者代位訴訟では、第三債務者のみが被告となる（民訴115Ⅰ①・②参照）。

○ 044

債権者は、被代位権利を行使する場合において、被代位権利が金銭の支払又は動産の引渡しを目的とするものであるときは、相手方に対し、その支払又は引渡しを自己に対してすることを求めることができ（423の3前段）、BがCに対してした弁済は有効である。

○ 045

債権者が被代位権利を行使した場合であっても、債務者は、被代位権利について、自ら取立てその他の処分をすることを妨げられない。この場合においては、相手方も、被代位権利について、債務者に対して履行をすることを妨げられない（423の5）。

046 ☐☐☐

債権者AがBに対する金銭債権を保全するために、BのCに対する金銭債権を代位行使した結果、Cから金銭の支払を受けた場合には、Aは、BのAに対する債務と相殺することによって、Cから受け取った金銭をBに返還する義務を免れることはできない。

047 ☐☐☐   平26-16-ウ改題

債権者代位権を行使するために必要な費用を支出した債権者は、債務者に対してその費用の償還を請求することができない。

詐害行為取消権

048 ☐☐☐   平24-22-エ (平11-7-イ、平16-21-エ、平21-22-オ)

財産分与をした者が離婚の際に債務超過の状態にあった場合には、一般債権者は、詐害行為として、当該財産分与を取り消すことができる。

049 ☐☐☐   平16-21-オ (平24-22-ウ)

離婚による財産分与請求権は、協議、審判等によって具体的内容が決まるまでは内容が不確定であるから、離婚した配偶者は、自己の財産分与請求権を保全するために、他方配偶者の有する権利を代位行使することはできない。

× **046**

代位債権者は、自己の債権をもって債務者の返還請求権と相殺することができ、その結果、被代位権利は消滅する（423の3後段）。したがって、Aは、BのAに対する債務と相殺することによって、Cから受け取った金銭をBに返還する義務を免れることができる。

× **047**

債権者代位権は債務者の権利を行使するものであって、その限りで一種の法定委任関係であるから、債権者代位権を行使した債権者が、必要な費用を支出した場合、債権者は、費用償還請求権を有する（650）。

× **048**

離婚に伴う財産分与については、不相当に過大であり、財産分与に仮託してされた財産処分であると認められるような「特段の事情があれば」、詐害行為取消権の対象となる（最判昭58.12.19）。

○ **049**

協議あるいは審判等によって具体的内容が形成される前の財産分与請求権を保全するために債権者代位権を行使することは許されない（最判昭55.7.11）。

050 ▢▢▢ 平15-23-ウ（平20-18-ア、平23-23-オ、平27-23-ウ）

共同相続人の間で成立した遺産分割協議は、詐害行為取消請求の
対象とはなり得ない。

051 ▢▢▢ 平9-19-オ（平12-19-オ）

相続人となった債務者が債権者を害する目的で相続の放棄をした
ときは、債権者は、その相続の放棄を詐害行為として取り消すこ
とができる。

052 ▢▢▢ 平30-16-ウ

詐害行為の受益者が債権者を害すべき事実について悪意である場
合において、転得者が善意であるときは、転得者に対して詐害行
為取消権を行使することはできない。

053 ▢▢▢ 平11-7-ウ（平20-18-エ）

転得者が詐害の事実について善意であれば、その転得者から更に
対象物件を転得した者については、その者が詐害の事実について
悪意であっても、債権者は、詐害行為取消権を行使することがで
きない。

× **050**

共同相続人の間で成立した遺産分割協議は、詐害行為取消請求の対象となり得る（最判平11.6.11）。

× **051**

債務者が相続人となった場合に、債権者を害する目的で相続を放棄したとしても、債権者は、その相続の放棄を詐害行為として取り消すことはできない（大判昭10.7.13、最判昭49.9.20）。

○ **052**

債権者は、受益者に対して詐害行為取消請求をすることができる場合において、受益者に移転した財産を転得した者があるときは、その転得者が、転得の当時、債務者がした行為が債権者を害することを知っていたときに限り、その転得者に対しても、詐害行為取消請求をすることができる（424の5①）。

○ **053**

受益者に対して詐害行為取消請求をすることができる場合において、転得者が、債権者を害することを知っていたときに限り、詐害行為取消請求をすることができる（424の5②）。

054 □□□ 平30-16-イ

特定物の引渡請求権の債務者が当該特定物を処分することにより無資力となった場合には、当該引渡請求権が金銭債権に転じていなかったとしても、当該引渡請求権の債権者は、当該処分について詐害行為取消権を行使することができる。

055 □□□ 平26-16-ア（平30-16-ア）改題

詐害行為取消権により債務者が受益者に対してした金銭債務の弁済を取り消す場合には、債務者の受益者に対する弁済の時点で履行期が到来している必要がある。

056 □□□ 平2-10-4（平14-16-イ）

債務者が第三者に贈与をしたことにより無資力となれば、その後に資力を回復しても、詐害行為取消権を行使することができる。

057 □□□ 平14-16-エ

詐害行為の時点よりも前に成立した元本債権に対する遅延損害金であっても、それが詐害行為よりも後の期間に発生したものであるときは、被保全債権とすることはできない。

058 □□□ 平14-16-オ

所有権移転登記よりも前の金銭消費貸借契約によって成立した貸金債権であっても、それが不動産の譲渡の意思表示より後に成立したものであるときは、被保全債権とすることはできない。

× 054

特定物引渡請求権を有する者も、その目的物を債務者が処分することによって債務者が無資力となった場合には、当該処分行為を詐害行為として取り消すことができる（最大判昭36.7.19）。もっとも、詐害行為取消権を行使するためには、行使時までに、特定物引渡請求権が金銭債権に転じていることが前提となる。

× 055

詐害行為取消権における被保全債権は、詐害行為の前の原因に基づいて生じたものである必要はあるが、詐害行為時において履行期が未到来であってもよい（424Ⅲ）。

× 056

債権者を害するといえるためには、処分行為の時に害し、かつ、取消権を行使する時にも害する状態が存在することが必要である。

× 057

元本債権が詐害行為の前の原因に基づき成立している場合には、詐害行為後に発生した遅延損害金も被保全債権に含まれる（424Ⅲ）。

○ 058

不動産の譲渡行為を詐害行為として取り消す場合、被保全債権の成立時期との先後は、所有権移転登記の時点ではなく譲渡の意思表示の時点（契約時）を基準とする（最判昭55.1.24）。

債務者Aに対し、Bは300万円、Cは200万円の金銭債権を有していたが、CがAから200万円の弁済を受けたことにより、Aは、無資力となった。Cに対するAの弁済がBの請求により詐害行為として取り消された場合、責任財産の回復を目的とする詐害行為取消制度の趣旨に照らし、Cは、Bに対し、自己の債権額に対応する按分額80万円についても支払を拒むことはできない。

債権者代位権の行使は、訴えの提起による必要がないのに対し、詐害行為取消権の行使は、訴えの提起による必要がある。

債権者の債務者に対する金銭債権の額と比べて、債務者の第三債務者に対する金銭債権の額や、債務者の受益者に対する弁済の額が高い場合には、債権者代位権については、債権者の債務者に対する金銭債権の額の範囲でのみ代位行使をすることができるのに対し、詐害行為取消権については、弁済の全部を取り消すことができる。

詐害行為取消訴訟では、受益者のみを被告とする必要がある。

○ **059**

弁済が詐害行為として取り消された場合、受益者は取消権者に対して自己の債権額に対応する按分額の支払を拒むことはできない（最判昭46.11.19）。

○ **060**

債権者代位権は、裁判上又は裁判外で行使することが可能であり、訴え提起によるかどうかは、債権者の自由である。これに対し、詐害行為取消権は、裁判上行使する必要がある（424Ⅰ本文）。

× **061**

債権者は詐害行為取消請求をする場合においても、債務者がした行為の目的が可分であるときは、自己の債権の額の限度においてのみ、その行為の取消しを請求することができる（424の8Ⅰ）。

× **062**

詐害行為取消訴訟では、受益者又は転得者のみが被告となる（424の7Ⅰ）。

不動産の引渡請求権を保全するために債務者から受益者への目的不動産の処分行為を詐害行為として取り消す場合には、債権者は、受益者から債権者への所有権移転登記手続を請求することができる。

詐害行為取消権を行使するために必要な費用を支出した債権者は、債務者に対してその費用の償還を請求することができる。

債権者が受益者に対して詐害行為取消権を行使し、詐害行為を取り消す旨の認容判決が確定した場合であっても、債務者は、受益者に対して、当該詐害行為が取り消されたことを前提とする請求をすることはできない。

債権者が受益者を相手方として詐害行為取消しの訴えを提起した場合であっても、その被保全債権の消滅時効の完成は猶予されない。

× **063**

不動産の引渡請求権を保全するために債務者から受益者への処分行為を詐害行為として取り消す場合には、特定物債権者は、受益者に対して、債務者名義への登記名義の回復を請求することができるが、当該不動産の引渡請求権に基づいて、直接自己（債権者）への所有権移転登記を請求することはできない（最判昭53.10.5）。

○ **064**

詐害行為取消権は、取消債権者が債務者に代わって債務者の権利を行使するわけではないから、債権者代位権の場合と同様の法律構成をすることは困難ではあるが、債務者の責任財産が保全されるという関係にあることは確かであることから、詐害行為取消権を行使した債権者も、一般的には、費用償還を請求できると解されている。

× **065**

詐害行為取消請求を認容する確定判決は、債務者及び全ての債権者に対してもその効力を有する（425）。

○ **066**

受益者に対する詐害行為取消請求に係る訴えの被告は受益者であり（424の7Ⅰ①）、債務者は被告とならない。また、債権者が取消訴訟で自己の債権の存在を主張しても、直接、債務者に対して裁判上の請求をしたことにはならない。したがって、債権者の被担保債権に対する消滅時効の完成猶予事由に該当しない（最判昭37.10.12）。

❸ 多数当事者の債権・債務関係

分割債権債務・不可分債権債務

067 ☐☐☐
平21-16-イ

A及びBが共有する建物がCの不法行為により全焼した場合には、Aは単独で、Cに対し、建物全部についての損害賠償を請求することができる。

068 ☐☐☐
平21-16-ウ

Aに対する100万円の債務を負担していたBが死亡し、C及びDがBの債務を共同相続した場合には、Aは、100万円の債権全額を被担保債権として、Cが所有する建物を差し押さえることができる。

069 ☐☐☐
平21-16-エ

Aからアパートを貸借していたBが死亡し、C及びDがBの賃借権を共同相続した場合、Aは、C及びDのうち一方のみに対して、相続開始後の賃料全額を請求することができる。

連帯債権

070 ☐☐☐
令4-16-ア

各連帯債権者は、全ての債権者のために全部の履行を請求することができる。

×　**067**

共有物が第三者によって侵害されたとき、各共有者は持分権に基づく損害賠償を請求することができる（709）。この場合、一部の共有者は共有物全部の損害の賠償を請求することはできない（最判昭41.3.3）。

×　**068**

共同相続財産に属する金銭債務は分割債務に当たる(最判昭34.6.19)。したがって、ＣＤは、各自相続によりＢの債務を分割債務（427）として負ったことになり、相続分に応じて債務を負担するにとどまる。

○　**069**

賃料債務は金銭債務であるから、分割債務となるようにも思える。しかし、判例は、賃借権を共同相続した場合、賃料債務は不可分債務とする（大判大11.11.24）。

○　**070**

債権の目的がその性質上可分である場合において、法令の規定又は当事者の意思表示によって数人が連帯して債権を有するときは、各債権者は、全ての債権者のために全部又は一部の履行を請求することができる（432）。

連帯債権者の一人と債務者との間に混同があったときは、債務者は弁済をしたものとみなされる。

連帯債務

A、B及びCは、Dに対し連帯して、金1,000万円の貸金債務を負っている。そして、それぞれの負担部分が、A及びBは500万円、Cはゼロである。DがCに対して裁判上の請求をしても、DのA及びBに対する債権の消滅時効は完成猶予されない。

債権者Aに対してB、C及びDの3名が30万円を支払うことを内容とする連帯債務を負い、その負担部分がそれぞれ等しいという事例に関して、AがBに対して債務の免除をしたときは、Aは、Cに対し、20万円の限度で連帯債務の履行を請求することができる。

連帯債務者の一人が死亡し、その連帯債務を債権者が相続した場合には、その連帯債務者が弁済をしたものとみなされる。

○ **071**

連帯債権者の一人と債務者との間に混同があったときは、債務者は、弁済をしたものとみなす（435）。

○ **072**

裁判上の請求は債権の消滅時効の完成猶予又は更新事由となる（147Ⅰ①）。しかし、債権者が連帯債務者の一人に裁判上、債務の履行の請求をした場合でも、原則として、他の連帯債務者に対してその効力を生じない（441本文）。

× **073**

連帯債務者の一人に対してした債務の免除は、原則として、他の連帯債務者に対してその効力が及ばない（441本文）。したがって、AがBに対して債務の免除をしたときであっても、Aは、Cに対して30万円全額について連帯債務の履行を請求することができる。

○ **074**

連帯債務者の一人と債権者との間に混同があったときは、その連帯債務者は、弁済をしたものとみなされる（440）。

075 ☐☐☐ 平25-16-イ

債権者Aに対してB、C及びDの3名が30万円を支払うことを内容とする連帯債務を負い、その負担部分がそれぞれ等しいという事例に関して、Aが死亡し、その唯一の相続人であるBがAを相続したときであっても、Bは、Aの相続人として、Cに対して30万円全額について連帯債務の履行を請求することができる。

076 ☐☐☐ 平25-16-ウ

債権者Aに対してB、C及びDの3名が30万円を支払うことを内容とする連帯債務を負い、その負担部分がそれぞれ等しいという事例に関して、AとBとの間で、Bの債務の内容をBが所有する自転車(10万円相当)をAに給付するという債務に変更する旨の更改があったときは、Aは、Cに対し、20万円の限度で連帯債務の履行を請求することができる。

077 ☐☐☐ 平25-16-エ

債権者Aに対してB、C及びDの3名が30万円を支払うことを内容とする連帯債務を負い、その負担部分がそれぞれ等しいという事例に関して、BがAに対して20万円の反対債権を有しているときは、Cは、Aに対し、10万円の限度で、BがAに対して有する当該反対債権を自働債権とする相殺を援用することができる。

× 075

連帯債務者の一人と債権者との間に混同があったときは、その連帯債務者は、弁済をしたものとみなす（440）。したがって、BがAを相続したことにより、混同が生じ、Bは弁済をしたものとみなされ、C及びDは債務を免れる。

× 076

連帯債務者の一人と債権者との間に更改があったときは、債権は、全ての連帯債務者の利益のために消滅する（438）。したがって、反対の特約等がない限り、ＡＢ間で更改契約が成立したことにより、債務が消滅し、C及びDは債務を免れる。

× 077

連帯債務者の一人が債権者に対して債権を有する場合において、当該債権を有する連帯債務者が相殺を援用しない間は、その連帯債務者の負担部分の限度において、他の連帯債務者は、債権者に対して債務の履行を拒むことができる（439Ⅱ）。

078 □□□ 平4-4-ア（平19-19-ア）

A、B及びCは、Dに対し連帯して、金1,000万円の貸金債務を負っている。そして、それぞれの負担部分が、A及びBは500万円、Cはゼロである。CがDに対して債務の承認をしても、DのA及びBに対する債権の消滅時効は更新されない。

079 □□□ 平19-19-ウ

弁済期がそれぞれ同じである連帯債務において、債権者が連帯債務者の一人に対して債務の履行を適法に裁判上請求した場合には、他の連帯債務者との関係でも消滅時効の完成が猶予される。

080 □□□ 平25-16-オ

債権者Aに対してB、C及びDの3名が30万円を支払うことを内容とする連帯債務を負い、その負担部分がそれぞれ等しいという事例に関して、Bのために消滅時効が完成したときであっても、Aは、Cに対し、30万円全額について連帯債務の履行を請求することができる。

081 □□□ 平24-6-オ

連帯債務者のうちの一人が時効の利益を放棄した場合には、他の連帯債務者にもその時効の利益の放棄の効力が及ぶので、他の連帯債務者も、時効の援用をすることができなくなる。

○ **078**

債務の承認は債権の消滅時効の更新事由となるが（152Ⅰ）、時効更新の効力は当事者及びその承継人以外の者に対しては及ばない（153Ⅲ）。そして、連帯債務者の一人が債務の承認をした場合でも、原則として、他の連帯債務者に対してその効力を生じない（441本文）。

✕ **079**

債務者に対する裁判上の履行の請求は、消滅時効の完成猶予事由である（147Ⅰ①）。この点、連帯債務者の一人に対する請求は、原則として、他の連帯債務者に対してその効力が及ばない（441本文）。

○ **080**

連帯債務者の一人のために時効が完成したときであっても、原則として、他の連帯債務者に対してその効力が及ばない（441本文）。したがって、Bのために消滅時効が完成したときであっても、AはCに対し、30万円全額について連帯債務の履行を請求することができる。

✕ **081**

連帯債務者のうちの一人が時効の利益を放棄した場合、他の連帯債務者に対してはその放棄の効力は及ばない（大判昭6.6.4参照・放棄の相対効）。

082 ☐☐☐

令4-16-エ

当事者の意思表示によって数人が連帯して債務を負担する場合において、連帯債務者の一人が弁済をしたときは、その連帯債務者は、その弁済額が自己の負担部分を超えていなければ、他の連帯債務者に対して求償することはできない。

083 ☐☐☐

平28-17-オ改題

連帯債務者は、他の連帯債務者に弁済をしたことを通知しなかった場合には、既に弁済があったことを知らずにその後に弁済をした他の連帯債務者からの求償に応じなければならない。

084 ☐☐☐

令4-16-オ

連帯債務者の一人に対して債務の免除がされた後、他の連帯債務者が債務の全額を弁済したときは、債務の免除を受けた連帯債務者は、債務の免除を受けたことを理由に、求償を拒むことはできない。

保証
---

085 ☐☐☐

平31-16-ア

保証契約の締結後に、債権者と主債務者が主債務の弁済期を早める合意をしたときは、保証債務の履行期も同様に変更される。

× 082

連帯債務者の一人が弁済をし、その他自己の財産をもって共同の免責を得たときは、その連帯債務者は、その免責を得た額が自己の負担部分を超えるかどうかにかかわらず、他の連帯債務者に対し、その免責を得るために支出した財産の額のうち各自の負担部分に応じた額の求償権を有する（442Ⅰ）。

○ 083

連帯債務者の1人が、弁済をしたことを他の連帯債務者があることを知りながら、その免責を得たことを他の連帯債務者に通知することを怠ったため、他の連帯債務者が善意で弁済その他自己の財産をもって免責を得るための行為をしたときは、当該他の連帯債務者は、その免責を得るための行為を有効であったものとみなすことができる（443Ⅱ）。

○ 084

連帯債務者の一人に対して債務の免除がされ、又は連帯債務者の一人のために時効が完成した場合においても、他の連帯債務者は、その一人の連帯債務者に対し、民法442条1項の求償権を行使することができる（445）。

× 085

保証人の負担が債務の目的又は態様において主たる債務より重いときは、これを主たる債務の限度に減縮する（448Ⅰ）。この点、保証契約締結後に主債務について付された条件や期限等が加重されたとしても、保証債務には影響を及ぼさない（448Ⅱ）。

ＡがＢに対して中古車を売ったことに基づくＡの債務をＣが保証した場合において、Ｂがその代金を支払った後にＡの債務不履行によって当該中古車の売買契約が解除されたときは、Ｃは、Ａの既払代金返還債務についても保証の責任を負う。

主たる債務者に強制執行が容易な財産がある場合でも、その財産に債権全額の弁済をするだけの価値がないときは、保証人は、検索の抗弁権を行使することができない。

主債務者Ａの主債務についてＢ及びＣの二人の保証人がある場合において、Ｂが全額を弁済する旨の保証連帯の特約があるときは、Ｂは、債権者から保証債務の履行を求められた際に検索の抗弁及び催告の抗弁を主張することができない。

保証、連帯保証のいずれも、主たる債務者に債権譲渡の通知をすれば、保証人に対しても効力が及ぶ。

主たる債務者に対して履行の請求をした場合には、連帯保証人に対しても、消滅時効の完成猶予又は更新の効力を生ずる。

○ **086**

特定物の売買における売主のための保証人は、特に反対の意思表示のない限り、売主の債務不履行により契約が解除された場合における原状回復義務についても保証の責に任ずる（最大判昭40.6.30）。

× **087**

検索の抗弁権の行使の要件としての「弁済をする資力」（453）は、必ずしも債務額全額を完済する資力である必要はない（大判昭8.6.13）。

× **088**

保証人は、催告の抗弁及び検索の抗弁を有するのが原則である（452本文・453）が、主たる債務者と連帯して債務を負担した保証人（連帯保証人）は、これらの権利を有しない（454）。一方、保証連帯にあっては、保証人の補充性は失われていないので、催告の抗弁及び検索の抗弁が認められる。

○ **089**

保証債務は主たる債務に対して付従性を有するので、主たる債務者に生じた事由の効力は、保証人についても生ずる。連帯保証も保証の一種であるから、付従性を有することは通常の保証と異ならない（大判大6.7.2）。

○ **090**

主たる債務者に対する履行の請求その他の事由による時効の完成猶予及び更新は、保証人に対しても、その効力を生ずる（457Ⅰ）。

091

主債務者Aから委託を受けて保証人となったBがAに対して事前求償権を取得し、その後に弁済によって事後求償権を取得したときは、事後求償権の消滅時効は事前求償権を行使することができる時から進行する。

092

保証、連帯保証のいずれも、保証人に裁判上の請求をした場合には、主たる債務者の消滅時効は完成猶予又は更新される。

093

保証、連帯保証のいずれも、保証人が債務を承認すれば、主たる債務者の消滅時効は更新される。

094

主債務者が消滅時効の完成前に債務を承認した場合には、連帯保証人との関係でも消滅時効が更新する。

× 091

主たる債務者から委託を受けた保証人が、主たる債務者に対し、460条の規定又は主たる債務者との合意に基づき、いわゆる事前求償権を取得した場合であっても、当該保証人が弁済その他自己の出捐をもって主たる債務を消滅させるべき行為をしたことにより459条1項の規定に基づいて取得する事後求償権の消滅時効は、当該行為をした時から進行する（最判昭60.2.12）。

× 092

通常の保証では、主たる債務を消滅させる事由を除き、保証人に生じた事由の効力は、原則として、主たる債務者に生じない。また、連帯保証では、連帯債務に関する規定は準用されるが436条は除かれているため（458・439Ⅰ・440・441）、連帯保証人に裁判上の請求をしても主たる債務者に影響はない。したがって、保証、連帯保証のいずれも、主たる債務者に対する消滅時効は完成猶予又は更新されない。

× 093

通常の保証では、保証人に生じた事由の効力は、主たる債務を消滅させる事由を除き、原則として、主たる債務者に生じない。また、連帯保証では、連帯債務に関する規定が準用されるため、連帯保証人に生じた一定の事由については主たる債務者にも効力が生じるが（458・438・439Ⅰ・440・441）、債務の承認は含まれていない。したがって、保証・連帯保証を問わず、保証人が債務を承認しても、主たる債務者の消滅時効は更新されない。

○ 094

連帯保証も保証債務の一つであり付従性を有するので、主たる債務者について生じた事由は全て連帯保証人に及ぶ（457）。

主債務者が時効完成後に時効の利益を放棄した場合には、連帯保
証人も消滅時効を援用して債務を免れることができない。

連帯保証人が自らの債権を自働債権として相殺をした場合には、
債権は、主たる債務者の利益のためにも消滅する。

連帯保証人が死亡し、その保証債務を債権者が相続した場合には、
その連帯保証人が弁済をしたものとはみなされない。

債権者が連帯債務者の1人に対して債務の免除をした場合には、そ
の債務者の負担部分については他の債務者も債務を免れるが、債
権者が連帯保証人の1人に対して債務の免除をした場合には、主
たる債務者は、何ら債務を免れない。

連帯債務者Aが債権者に対し相殺適状にある反対債権を有してい
るときは、他の連帯債務者Bは、Aの負担部分につき相殺をするこ
とができるが、連帯保証でない保証における主たる債務者Cが債
権者に対し相殺適状にある反対債権を有していても、保証人Dは
相殺をすることはできない。

× **095**

時効の利益の放棄の効果は相対的であり、時効の利益を放棄した者（及びその承継人）のみが援用権を失い、他の者には効果が及ばない（大判大5.12.25）。

○ **096**

連帯保証人が債権者に対して債権を有する場合において、その連帯保証人が相殺を援用し、保証債務が消滅したときは、主債務も消滅する（458・439Ⅰ）。

× **097**

連帯保証人の一人と債権者との間に混同があったときも、その連帯保証人は、弁済をしたものとみなされる（458・440）。

× **098**

連帯債務者の一人に対してする債務の免除は、原則として、他の連帯債務者に対してその効力を生じない（441本文）。同様に、連帯保証人に対する債務の免除は、原則として、主たる債務者に対してその効力を生じない（458・441本文）。

× **099**

連帯債務者の一人が債権者に対して債権を有する場合において、債権を有する連帯債務者が相殺を援用しない間は、その連帯債務者の負担部分の限度において、他の連帯債務者は、債権者に対して債務の履行を拒むことができる（439Ⅱ）。また、主たる債務者が債権者に対して相殺権、取消権又は解除権を有するときは、これらの権利の行使によって主たる債務者がその債務を免れるべき限度において、保証人は、債権者に対して債務の履行を拒むことができる（457Ⅲ）。すなわち、いずれの場合においても、履行を拒むことができるにすぎず、相殺する権限までは有しない。

連帯債務者Aの債務の消滅時効が完成した場合に他の連帯債務者Bが時効を援用すると、Bは、Aの負担部分についてのみ債務を免れるが、連帯保証でない保証における主たる債務者Cの債務の消滅時効が完成した場合に保証人Dが時効を援用すれば、Dは自らの債務を全部免れる。

連帯債務者Aが債務の承認をしても、他の連帯債務者Bの債務の消滅時効は更新されないが、連帯保証でない保証における主たる債務者Cが債務を承認すると、消滅時効の更新は、保証人Dの債務についても効力が生ずる。

主たる債務者は、主たる債務者の委託を受けて保証をした連帯保証人に弁済をしたことを通知しなかった場合であっても、既に弁済があったことを知らずにその後に弁済をしたその連帯保証人からの求償に応じる必要はない。

保証契約は、口頭で合意をすれば書面を作成しなくても効力を生じるが、書面によらない保証は、保証人が後に撤回することができる。

✕ **100**

連帯債務者の一人のために時効が完成した場合、他の連帯債務者に対してその効力を生じない（441）。すなわち、Bは引き続き債務全額を負担することになる。これに対して、保証債務は、主たる債務者Cの債務の消滅時効が完成した場合に保証人Dが時効を援用（145）したときは、Dとの関係では、主たる債務は時効により消滅し、付従性により保証債務もまた消滅することになる。

◯ **101**

連帯債務者の一人が債務の承認をしても、他の連帯債務者には時効の更新の効力（152Ⅰ）は及ばない。これに対して、保証債務は、主たる債務に対する付従性を有し、主たる債務者に生じた事由はことごとく保証人に及ぶのを原則とするから、主たる債務者が債務の承認をすれば、それにより生じた主たる債務の時効の更新の効力は保証債務にも及ぶ（457Ⅰ）。

✕ **102**

保証人が主たる債務者の委託を受けて保証をした場合において、主たる債務者が債務の消滅行為をしたことを保証人に対して通知することを怠ったため、その保証人が善意で債務の消滅行為をし、免責を得たときは、その免責を得た保証人は、その債務の消滅行為を有効であったものとみなすことができる（463Ⅱ）。

✕ **103**

保証契約は、書面でしなければ、その効力を生じない（446Ⅱ）。なお、保証契約が電磁的記録によってされたときは、その保証契約は、書面によってされたものとみなされる（446Ⅲ）。

104 ☐☐☐

平27-17-イ

債権者は、連帯保証人に対して履行の請求をしたが、主たる債務者には履行の請求をしていない。この場合において、連帯保証人に対してした履行の請求の効果は、主たる債務者にも及ばない。

105 ☐☐☐

平27-17-ウ

Aを債務者とする500万円の金銭債務についてBとCが連帯保証をした場合には、債権者は、Bに対し、500万円全額の支払を請求することができる。

106 ☐☐☐

平27-17-オ

Dは、Eの意思に反していながら、Eを債務者とする金銭債務について保証をし、その後、その保証債務を履行した。この場合、Dは、主たる債務者であるEの意思に反して保証をしているため、Eに対して、求償権を行使することができない。

107 ☐☐☐

令6-17-エ

事業の用に供する建物の賃貸借契約に基づく賃料債務を主たる債務とする保証契約は、その契約の締結に先立ち、公正証書で保証人になろうとする者が保証債務を履行する意思を表示していなければ、その効力を生じない。

○ **104**

連帯保証人に対する履行の請求は、主たる債務者に対しては、原則として、その効力を生じない（458・441本文）。

○ **105**

通常の保証においては、同一の主たる債務について保証人が複数いる場合、各保証人は、保証人の頭数に応じた分割責任を主張することができる（456・427・分別の利益）。しかし、数人の保証人が連帯保証人である場合、各保証人は、分別の利益を有さず、債務全額について責任を負う（大判大6.4.28）。

× **106**

主たる債務者の意思に反して保証をした者は、主たる債務者が現に利益を受けている限度においてのみ求償権を有する（462Ⅱ前段）。

× **107**

事業のために負担した貸金等債務を主たる債務とする保証契約又は主たる債務の範囲に事業のために負担する貸金等債務が含まれる根保証契約は、その契約の締結に先立ち、その締結の日前1か月以内に作成された公正証書で保証人になろうとする者が保証債務を履行する意思を表示していなければ、その効力を生じない（465の6Ⅰ）。

根保証

　　　　　　　　　　　　　令6-17-イ（平27-17-エ）

一定の範囲に属する不特定の債務を主たる債務とする保証契約で
あって保証人が法人でないものは、主たる債務の元本、主たる債
務に関する利息、違約金、損害賠償その他その債務に従たる全て
のもの及びその保証債務について約定された違約金又は損害賠償
の額について、その全部に係る極度額を定めなければ、その効力
を生じない。

　　　　　　　　　　　　　　　　　　　　令6-17-ウ

一定の範囲に属する不特定の債務を主たる債務とする保証契約で
あって保証人が法人であるものにおける主たる債務の元本は、主
たる債務者が死亡したときは、確定する。

○ **108**

一定の範囲に属する不特定の債務を主たる債務とする保証契約であって保証人が法人でないものを個人根保証契約といい（465の2Ⅰ）、個人根保証契約は、主たる債務の元本、主たる債務に関する利息、違約金、損害賠償その他 その債務に従たる全てのもの及びその保証債務について約定された違約金又は損害賠償の額について、その全部に係る極度額を定めなければ、その効力を生じない（465の2Ⅱ）。

× **109**

個人根保証契約における主たる債務の元本は、主たる債務者又は保証人が死亡した場合には、確定する（465の4Ⅰ③）。この点、個人根保証契約の元本の確定事由（465の4）の規定は、保証人が個人であるものを対象としている。

債権譲渡

110 □□□ 平31-17-イ

将来発生すべき債権を目的とする債権譲渡契約は、その目的とされる債権が発生する相当程度の可能性が契約締結時に認められないときは、無効である。

111 □□□ 平31-17-ア

Aが種類物である商品甲をBに売却することによって将来有することになる一切の代金債権をCに譲渡したとしても、その債権譲渡契約は、譲渡の目的が特定されていないから、無効である。

112 □□□ 平11-5-1

AのBに対する債権をCが譲り受けようとする場合に、Aの有する債権が、BにAの肖像画を描かせることを内容とするものである場合、Cは、債権を取得することができない。

113 □□□ 平11-5-2（平9-5-オ、平19-18-オ、平22-17-ア）

AのBに対する債権をCが譲り受けようとする場合に、AとBとの間で、債権の譲渡制限の意思表示がされた場合、その意思表示の存在を知り、又は知らないことについて過失があるCは、債権を取得し、Bに対して債務の履行を請求することができない。

× **110**

将来発生すべき債権を目的とする債権譲渡契約にあっては、当該契約の締結時において当該債権発生の可能性が低かったことは、当該契約の効力を当然に左右するものではない（最判平11.1.29）。

× **111**

特定の程度としては、譲渡の目的となるべき債権を譲渡人が有する他の債権から識別することができる程度に特定されていれば足りる（最判平12.4.21）。

○ **112**

債権は原則として譲渡性を有するが（466Ⅰ本文）、その性質が譲渡を許さないときはこの限りではない（466Ⅰ但書）。本肢のように自己の肖像画を描かせることを内容とする債権は、債権者を異にすることにより給付内容が全く変わってしまうので、性質上譲渡することができない。

× **113**

譲渡制限の意思表示がされたことを知り、又は重大な過失によって知らなかった譲受人その他の第三者に対しては、債務者は、その債務の履行を拒むことができ、かつ、譲渡人に対する弁済その他の債務を消滅させる事由をもってその第三者に対抗することができる（466Ⅲ）。したがって、譲渡制限の意思表示を知り、又は知らないことについて過失がある場合であっても、Cは、債務の履行を請求することができる。

114 □□□ 平19-18-ア

譲渡制限の意思表示が付されている債権を目的とする質権の設定を受けた者は、当該債権に譲渡制限の意思表示が付されていることを知っていたとしても、有効に質権を取得することができる。

115 □□□ 平19-18-イ（平31-17-オ）

債権を差し押さえた者は、当該債権に譲渡制限の意思表示が付されていることを知っていたとしても、転付命令によって当該債権を取得することができる。

116 □□□ 平31-17-エ

譲渡制限の意思表示が付された預金債権が譲渡された場合において、譲受人が譲渡制限の意思表示がされたことを知っていたときは、譲渡人は、譲渡が無効であることを主張して、債務者に対し、その債務の履行を請求することができる。

117 □□□ 平31-17-ウ

債権の譲受人が譲渡人の委託を受け、債務者に対し、譲渡人の代理人として債権の譲渡の通知をしたときは、譲受人は、その債権の譲渡を債務者に対抗することができる。

○ **114**

当事者が債権の譲渡を禁止し、又は制限する旨の意思表示が付された債権を質権の目的としたときであっても、質権は有効に成立する（362）。また、当該債権が質権者に譲渡されても、債権の譲渡は、その効力を妨げられない（466Ⅱ）。

○ **115**

債権に譲渡制限の意思表示が付されていることにつき悪意又は重過失があっても、それが強制執行をした差押債権者である場合には、債務者は債務の履行を拒むことができず、また、債務を消滅させる事由を対抗することもできない（466の4Ⅰによる466Ⅲの適用排除）。したがって、譲渡制限の意思表示がされた債権に対し、差押えや転付命令を得ることは可能である。

× **116**

預金債権について当事者がした譲渡制限の意思表示は、466条2項の規定にかかわらず、その意思表示がされたことを知り、又は重大な過失によって知らなかった譲受人その他の第三者に対抗することができる（466の5Ⅰ）。もっとも、当該意思表示に反して債権を譲渡した債権者は、当該意思表示の存在を理由に譲渡の無効を主張する独自の利益を有せず、債務者に譲渡の無効を主張する意思があることが明らかであるなどの特段の事情がない限り、その無効を主張することは許されない（最判平21.3.27）。

○ **117**

債権譲渡の対抗要件としての通知（467）は、譲受人が譲渡人の代理人としてすることができる（最判昭46.3.25参照）。

連帯債務者全員に対する債権を譲渡した場合、一部の債務者に通知をしたときは、通知をしていない債務者に対しても債権譲渡を対抗することができる。

確定日付のない通知を受けた債務者が当該譲受人に弁済をした後に、債権者が当該債権を第二の譲受人に譲渡し、債務者が確定日付のある通知を受けた場合、第二の譲受人は、債務者に対し、当該債権の支払を請求することができる。

法人が金銭債権である債権を譲渡した場合には、民法上の債務者への通知又は債務者の承諾によらなくても、特別法により債権譲渡の登記をすれば、その譲渡を債務者に対抗することができる。

✕ **118**

債権譲渡の通知については、連帯債務者の一人に生じた事由についての絶対効を定める規定が存在しない（438〜440参照）。したがって、通知を受けていない連帯債務者にはその効力を生じない（441本文）。

✕ **119**

第一の譲受人に対する譲渡につき債務者が債権譲渡の通知を受けた場合には、その通知が確定日付のない通知であっても債務者との関係では対抗要件を具備したことになる（467Ⅰ）から、債務者の第一の譲受人に対する弁済は有効であり、これにより債権は消滅する。債権が消滅した以上、第二の譲受人は当該債権を取得することはできず、たとえ債務者が確定日付のある通知を受けたとしても、債務者に対し当該債権の支払を請求することはできない。

✕ **120**

特別法により債権譲渡の登記をすれば、その譲渡を第三者に対抗することはできるが、債務者に対抗することはできない。

Aが債務者甲に対して有する債権をBに譲渡し、Bがその債権をCに譲渡した。AからBへの債権譲渡について、甲の承諾が口頭によるものであったときは、BからCへの債権譲渡につき、確定日付がある証書による通知がされたときであっても、Aからその債権を二重に譲り受けたEに対しては、Cは債権の譲受けを対抗することができない。

同一の債権につき、確定日付に先後のある複数の債権譲渡通知が同時に債務者に到達した場合、後れた日付の通知に係る譲受人も、債務者に対し、当該債権全額の支払を請求することができる。

同一の債権について抵当権が設定されているとともに保証人がいる場合において、保証人が弁済による代位により抵当権を実行しようとするときは、保証人は、その債権が自己に移転したことについて債権譲渡の対抗要件を備えなければならない。

同一の債権について、債権譲渡と債権差押えが競合した場合において、債権譲渡について確定日付のある証書による債務者の承諾がされていたときは、譲受人と差押債権者との間の優劣は、債務者の承諾の日時と債権差押命令の第三債務者への送達の日時の先後によって決せられる。

○ **121**

債権譲渡の通知又は承諾は、確定日付ある証書をもってしなければ、これをもって債務者以外の第三者に対抗することができない（467Ⅱ）。本肢の場合、ＡＢ間の譲渡については確定日付ある通知又は承諾がされていないため、Ｂは債権の譲受けをもって第三者たるＥに対抗することができない。したがって、Ｅに対抗できないＢから債権を譲り受けたＣは、ＢＣ間の譲渡について確定日付ある証書による通知がされたときであっても、債権の譲受けをもってＥに対抗することが**できない**。

○ **122**

確定日付に先後のある複数の債権譲渡の通知が同時に債務者に到達した場合、譲受人間の優劣を決定することはできないことになるが、この場合、各譲受人は債務者に対し当該債権全額の支払を請求することが**できる**（最判昭55.1.11）。

× **123**

債務者のために弁済した者は、債権者に代位する（499）。そして、弁済をするについて正当な利益を有する者が債権者に代位する場合には、467条の規定が準用されず（500括弧書）、債権譲渡の対抗要件を**備える必要はない**。

○ **124**

同一の債権について、債権譲渡と債権差押えが競合した場合において、債権譲渡について確定日付のある証書による債務者の承諾がされていたときは、譲受人と差押債権者との間の優劣は、**債務者の承諾の日時と債権差押命令の第三債務者への送達の日時の先後によって決せられる**（最判昭49.3.7、最判昭58.10.4）。

契約上の地位の移転

125 ☐☐☐　　　　　　　　　　　　　　平10-6-ア（平28-18-ウ）

賃貸人が賃貸物を第三者に譲渡するには、賃借人の承諾が必要である。

126 ☐☐☐　　　　　　　　　　　　　　　　　　平28-18-エ

Aは、その所有する甲土地をBに賃貸し、その後、Cに対して甲土地を譲渡した。甲土地の譲渡に伴ってAの賃貸人たる地位がCに移転した場合、甲土地についてAからCに対する所有権の移転の登記がされていない場合は、BはCからの賃料の支払の請求を拒むことができる。

× | **125**

目的物の所有権とともに賃貸人たる地位も併せて移転する場合には、賃借人にも利害関係は存するといえるが、賃貸人の貸す債務は所有者であれば誰でもなし得る非個性的なものであるから、特に賃借人の承諾を要求する必要はない（最判昭46.4.23）。

○ | **126**

不動産賃借権が登記された場合及び、借地借家法第10条又は第31条による賃貸借の対抗要件を備えた場合において、賃貸人たる地位の移転は、賃貸物である不動産について所有権の移転の登記をしなければ、賃借人に対抗することができない（605の2Ⅰ・Ⅲ）。

❺ 債権の消滅

弁済

127 ☐☐☐   平30-17-エ

弁済をすべき場所について別段の意思表示がないときは、特定物の引渡しは、引渡しをすべき時にその物が存在する場所において、しなければならない。

128 ☐☐☐   平24-17-エ

特定物売買の目的物の引渡し後に代金を支払うべき場合において、代金の支払場所につき別段の意思表示がないときは、買主は、売主の現在の住所において代金の支払をしなければならない。

129 ☐☐☐   平30-17-オ

弁済の費用について別段の意思表示がないときは、その費用は債務者の負担となるが、債権者の行為によって弁済の費用が増加したときは、その増加額は債権者の負担となる。

130 ☐☐☐   平23-16-1

有名画伯の作品である絵画をAがBに売却し、約束の期日にAの住所においてBに引き渡すという契約が締結された。Aは約束の期日までにBに絵画を引き渡す準備をし、それをBに通知することなく待っていた。期日を過ぎた後、Aが絵画を引き渡さないことを理由として、Bは債務不履行に基づく損害賠償請求をすることができる。

68　LEC東京リーガルマインド　令和7年版　司法書士合格ゾーンポケット判択一過去問肢集
❷ 民法Ⅱ

×　**127**

弁済をすべき場所について別段の意思表示がないときは、特定物の引渡しは債権発生の時にその物が存在した場所において、しなければならない（484 I）。

○　**128**

弁済をすべき場所について別段の意思表示がないときは、特定物の引渡しは債権発生の時にその物が存在した場所において、その他の弁済は債権者の現在の住所において、それぞれしなければならない（484 I）。この点、特定物売買における代金支払債務の弁済は「その他の弁済」であるから、債権者である売主の現在の住所において代金の支払をしなければならない。

○　**129**

弁済の費用について別段の意思表示がないときは、その費用は、債務者の負担となる（485本文）。ただし、債権者が住所の移転その他の行為によって弁済の費用を増加させたときは、その増加額は、債権者の負担となる（485但書）。

×　**130**

履行期日の定まった取立債務では、履行期日に引渡しの準備をしていればそれだけで現実の提供となり（493本文）、口頭の提供（493但書）は不要である。したがって、Aが引渡しの準備をしている場合、債務不履行に基づくBの損害賠償請求は認められない。

131 ☐☐☐   平23-16-2

有名画伯の作品である絵画をAがBに売却し、約束の期日にAの住所においてBに引き渡すという契約が締結された。Bが引取りに来るまでの間の絵画の保管について、Aが目的物の引渡しについて口頭の提供をしたとしても、引渡義務が消滅するまでの間は、善良な管理者の注意をもって、目的物を保存しなければならない。

132 ☐☐☐   平23-16-4

有名画伯の作品である絵画をAがBに売却し、約束の期日にAの住所においてBに引き渡すという契約が締結された。判例によると、Aは、Bが受領を拒絶している場合に、絵画を保管し続けるのを避けるため供託をするには、口頭の提供をしても債権者が受領しないことが明らかなときを除き、口頭の提供をしなければならない。

133 ☐☐☐   平23-16-5

有名画伯の作品である絵画をAがBに売却し、約束の期日にAの住所においてBに引き渡すという契約が締結された。Bが絵画を引き取らないのであれば、代わりにその絵画を買い取りたいと言っている人がいる場合に、Bが絵画を受領しないことを理由として、Aは、Bとの契約を解除することができる。

134 ☐☐☐   平25-17-ア（平10-5-2、平30-17-イ）

債権者と債務者との契約において第三者の弁済を許さない旨の特約をしていた場合には、弁済をするについて正当な利益を有する第三者であっても、弁済をすることはできない。

✕ **131**

弁済の提供をした後は492条により善管注意義務は軽減されるものと解されている。したがって、Aが目的物の引渡しについて口頭の提供（493但書）をすれば、善管注意義務を負うことはない。

◯ **132**

債権者があらかじめ受領を拒絶している場合であっても、債務者は口頭の提供をした後でなければ供託をすることはできない（494Ⅰ①）。もっとも、口頭の提供をしても債権者が受領しないことが明らかなときは、債務者は口頭の提供をせずに供託をすることができる（大判大11.10.25）。

✕ **133**

債務者は債権者に対し受領遅滞を理由として契約を解除することはできない（最判昭40.12.3）。したがって、買主が目的物の受領を拒んでいる場合、売主は、受領遅滞を理由として契約を解除することはできない。

◯ **134**

債務の弁済は、第三者もすることができるが（474Ⅰ）、当事者が第三者の弁済を禁止し、若しくは制限する旨の意思表示をしたときは、弁済をするについて正当な利益を有する第三者であっても、弁済をすることができない（474Ⅳ）。

135 □□□   平25-17-イ

弁済をするについて正当な利益を有する者でない第三者が債務者
の意思に反してした弁済は、債権者がそのことを知らずに受領した
場合であっても、その効力を有しない。

136 □□□   平25-17-エ

借地上の建物の賃借人は、その敷地の賃料について債務者である
土地の賃借人の意思に反して弁済をすることはできない。

代物弁済

---

137 □□□   平10-6-オ

債務者が代物弁済をするには、債権者の承諾が必要である。

138 □□□   平18-17-イ

債務者が、本来の給付に代えて自己の所有する不動産の所有権を
移転する合意を債権者とした場合には、当該不動産が本来の給付
と同価値かそれ以上の価値があるものでなければ債務は消滅しな
い。

× **135**

弁済をするについて正当な利益を有する者でない第三者は、債務者の意思に反して弁済をすることができない。ただし、債務者の意思に反することを債権者が知らなかったときは、この限りでない（474Ⅱ）。

× **136**

借地上の建物の賃借人は、その敷地の賃料の弁済につき、法律上の利害関係を有する（最判昭63.7.1）。したがって、当該建物賃借人は、土地の賃借人の意思に反して弁済することができる。

○ **137**

代物弁済とは、本来の給付に代えて他の給付をすることによって債権を消滅させる債権者と弁済者との間の契約である（482）。したがって、契約の一方当事者である債権者の承諾が必要である。

× **138**

本来の給付と代物給付とは、同価値でなくてもよい（大判大10.11.24）。したがって、当該不動産が本来の給付と同価値かそれ以上の価値があるものでなくても債務は消滅することになる。

139 □□□ 平18-17-エ

債務者が、本来の給付に代えて自己が第三者に対して有する債権を譲渡する合意を債権者とし、第三債務者に対して確定日付ある証書で譲渡の通知をした場合において、第三債務者が、通知を受ける前に当該債権の発生原因である契約の重要な要素に錯誤があった旨を主張して、その履行を拒んだときは、債権者は、債務者に対して本来の債務の履行を求めることができる。

140 □□□ 平18-17-オ

債務者が、本来の給付に代えて自己の所有する不動産の所有権を移転する合意を債権者とした場合には、当該不動産について所有権の移転の登記が完了しなければ、債務は消滅しない。

141 □□□ 平18-17-ウ

債務者が、本来の給付に代えて自己の所有する動産の所有権を移転する合意を債権者とした場合には、当該動産が引き渡されない限り所有権移転の効果は生じない。

142 □□□ 平18-17-ア

債務者が、本来の給付に代えて自己の所有する動産の所有権を移転する合意を債権者とした場合において、当該動産を債権者に引さ渡した後に当該動産に欠陥があることが判明したときは、債権者は、債務者に対して当該欠陥から生じた損害について損害賠償請求をすることができる。

✕ **139**

債権を代物弁済の目的とした場合において、その債権に抗弁が付着していることにより、第三債務者から履行を拒まれたときであっても、債権者は、債務者に対して代物弁済に代わる本来の給付を請求することはできない。

◯ **140**

債務消滅の効力が生じるためには、単に所有権を移転する旨の意思表示だけでは足りず、特約のない限り登記その他の所有権移転にかかる行為を完了しなければならない（最判昭40.4.30）。

✕ **141**

代物弁済の目的物の所有権移転の効果が発生するためには、対抗要件は不要であり、所有権は代物弁済契約の成立時に移転する（最判昭57.6.4）。

◯ **142**

代物弁済も有償契約であるから、契約内容の不適合であった場合、他の有償契約と同様に損害賠償等の請求をすることができる（565・562参照）。

相殺

143 □□□ 平24-16-ウ

抵当不動産の第三取得者は、被担保債権の債権者に対して自らが
有する債権を自働債権とし、被担保債権を受働債権として、相殺
をすることができる。

144 □□□ 令3-17-ア（平24-16-ア）

時効によって債権が消滅した場合において、その消滅時効期間が
経過する以前にその債権の債務者が債権者に対する反対債権を有
していたときは、その消滅時効期間が経過する以前に反対債権の
弁済期が現実に到来していたかどうかにかかわらず、時効によって
消滅した債権の債権者は、その債権を自働債権とし、その反対債
権を受働債権として、相殺をすることができる。

145 □□□ 平25-18-エ

建物の賃借人による賃貸人の負担に属する必要費又は有益費の償
還請求に関して、賃借人が、自己の必要費償還請求権と賃貸人の
賃料債権との相殺によって、賃料不払を理由とする契約解除を妨
げるためには、解除の意思表示がされる前に相殺の意思表示をし
なければならない。

146 □□□ 平24-16-エ

債権の消滅時効が完成してその援用がされた後にそのことを知ら
ずに当該債権を譲り受けた者は、時効完成前に譲り受けたとすれ
ば相殺適状にあった場合に限り、当該債権を自働債権として、相
殺をすることができる。

✕ **143**

抵当不動産の所有権を取得した者は、抵当権者に対して有する債権をもって抵当債権と相殺することはできない（大判昭8.12.5）。

✕ **144**

時効によって消滅した債権がその消滅以前に相殺に適するようになっていた場合には、その債権者は、相殺をすることができる（508）。この点、既に弁済期にある自働債権と弁済期の定めのある受働債権とが相殺適状にあるというためには、受働債権につき、期限の利益を放棄することができるというだけでなく、期限の利益の放棄又は喪失等により、その弁済期が現実に到来していることを要する（最判平25.2.28）。

○ **145**

賃貸借契約が、賃料不払を理由として適法に解除された後に、賃借人が解除前から賃貸人に対して有していた金銭債権をもって賃料債務と相殺をしても、解除の効力には影響がない（最判昭32.3.8）。したがって、当該契約解除を妨げるためには、解除の意思表示がされる前に相殺の意思表示をしなければならない。

✕ **146**

既に消滅時効の完成した債権を譲り受けて相殺しても、時効の援用があれば、相殺の効力は発生しない（最判昭36.4.14）。

債権につき、弁済期が到来していれば、その債権の債務者が同時
履行の抗弁権を有していても、その債権の債権者は、その債権を
自働債権として、相殺をすることができる。

債務不履行に基づく損害賠償請求権を受働債権とする相殺は、そ
の損害賠償請求権が人の生命又は身体の侵害によるものであって
も、することができる。

甲が乙の丙に対する債権を差し押さえた場合には、丙は乙に対す
る債権を差押前に取得したときであっても、これを自働債権として
する相殺を甲に対抗することはできない。

混同

Aが自己所有地を建物所有目的でBに賃貸し、Bがその地上に建物
を所有する場合において、A及びCがBからその建物の所有権を
譲り受けたときは、賃借権は消滅しない。

✕ 147

自働債権に同時履行の抗弁権（533）が付着している場合に相殺を認めると、債務者の抗弁を喪失させて、債務の履行を強制したのに等しい結果となるため、このような債権を自働債権とする相殺は認められない（大判昭13.3.1）。

✕ 148

人の生命又は身体の侵害による損害賠償の債務の債務者は、相殺をもって債権者に対抗することができない（509②）。

✕ 149

差押えを受けた債権の第三債務者は、差押え後に取得した債権による相殺をもって差押債権者に対抗することはできないが、差押え前に取得した債権による相殺をもって対抗することができる（511Ⅰ）。

○ 150

建物所有を目的とする土地賃借権が、建物所有権の譲受けにより土地賃貸人に帰した場合には、土地賃借権は混同により消滅する（520本文）が、土地所有者が他の者とともに賃借権を有するときはその賃借権は消滅しない（借地借家15Ⅱ）。

第5編

契約総論

① 契約の成立

001 ☐☐☐

ＡＢ間の契約締結交渉において、ＡがＢに対して書面を郵送して申込みの意思表示をした。その際、Ａは承諾の通知を受ける期間の末日を2月5日と定めた。Ｂが承諾の通知を2月1日に郵送で発し、これが2月3日に到達した場合、契約は2月3日に成立する。

002 ☐☐☐

隔地者間の契約の成立に関して、いずれも商人でないＡとＢとの間で、Ａは、Ｂに対して承諾の期間を定めて契約の申込みをしたが、その通知が到達する前に、その申込みを撤回する旨をＢに伝えた。その後、Ｂは当初の申込みにおいて定められた承諾の期間内に承諾の意思表示をした。この場合、ＡとＢとの間で契約が成立する。

003 ☐☐☐

ＡＢ間の契約締結交渉において、ＡがＢに対して書面を郵送して申込みの意思表示をした。その際、Ａは承諾の通知を受ける期間の末日を2月5日と定めた。Ａは、Ｂが承諾の通知を発する前であれば、申込みを撤回することができる。

004 ☐☐☐

隔地者間の契約の成立に関して、いずれも商人でないＡとＢとの間で、Ａは、Ｂに対して承諾の期間を定めて契約の申込みの通知を発したが、その通知は、交通事情により到達が遅れたため、承諾期間経過後にＢに到達した。Ｂは、Ａに対して延着の通知をするとともに、承諾の意思表示をした。この場合、ＡとＢとの間で契約が成立する。

○ **001**

意思表示は、その通知が相手方に到達した時からその効力を生ずる（97Ⅰ）。本肢の場合、Bの承諾の通知は2月3日に到達しているため、契約は2月3日に成立する。

× **002**

意思表示は、その通知が相手方に到達した時からその効力を生ずる（97Ⅰ）。そのため、申込みの意思表示が相手方に到達する前であれば、申込みを撤回することができる。

× **003**

承諾の期間を定めてした申込みは、その期間内は撤回することができない（523Ⅰ本文）。

× **004**

承諾の期間を定めてした契約の申込みは、その期間内に限り承諾することができ、期間が経過すれば申込みは当然に効力を失う（523Ⅱ）。

ＡＢ間の契約締結交渉において、ＡがＢに対して書面を郵送して申込みの意思表示をした。その際、Ａは承諾の通知を受ける期間の末日を２月５日と定めた。Ｂが承諾の通知を２月４日に発し、これが２月６日に到達した場合、Ａがこの承諾を新たな申込みとみなして、これに対する承諾をすれば、契約は成立する。

隔地者間の契約の成立に関して、いずれも商人でないＡとＢとの間で、Ａは、Ｂに対して承諾の期間を定めないで契約の申込みをしたが、その通知が到達した後、Ｂが諾否を判断するのに必要と考えられる時間が経過する前に、その申込みを撤回する旨をＢに伝えた。その直後、Ｂは承諾の意思表示をした。この場合、ＡとＢとの間で契約が成立する。

隔地者間の契約の成立に関して、いずれも商人でないＡとＢとの間で、Ａは、Ｂに対して申込みの通知を発した後に死亡し、Ｂは、その通知が到達する前にその事実を知った。その通知が到達した後、Ｂは承諾の意思表示をした。この場合、ＡとＢとの間で契約が成立する。

○ **005**

承諾の期間を定めてした契約について、申込者がその期間内に承諾の通知を受けなかった場合、申込みは効力を失う（523Ⅱ）。ただし、遅延した承諾も、申込者がこれを新たな申込みとみなすことができ（524）、これに対する承諾をすれば、契約は成立する。

○ **006**

承諾の期間を定めないで隔地者に対してした申込みは、申込者が承諾の通知を受けるのに相当な期間を経過するまでは、撤回することができない（525Ⅰ前段）。

× **007**

意思表示は、表意者が通知を発した後に死亡したときであっても、そのためにその効力を妨げられない。（97Ⅲ）。しかし、申込者が申込みの通知を発した後に死亡し、その相手方が承諾の通知を発するまでにその事実が生じたことを知ったときは、その申込みは、その効力を有しない（526）。

同時履行の抗弁権

---

008 ☐☐☐   平23-11-1

物の修理を内容とする双務契約において、物の修理業者は、同時
履行の抗弁権に基づいて、修理代金が支払われるまで修理した物
を相手方に引き渡すことを拒絶することができる。

---

009 ☐☐☐   平21-18-エ（平4-6-4）改題

売買契約における売主が、買主に対して同時履行の抗弁権を有す
る場合、当該売主は、売買代金債権を第三者に譲渡したときであっ
ても、それによって買主に対する同時履行の抗弁権を失わない。

---

010 ☐☐☐   平21-18-ア

建物の賃貸借終了に伴う賃貸人の敷金返還債務と賃借人の建物明
渡債務とは、同時履行の関係に立つ。

---

011 ☐☐☐   平21-18-イ

請負契約において、引き渡された目的物が種類又は品質に関して
契約の内容に適合しないものであるときに、注文者が履行の追完
に代わる損害賠償の請求をすることができる場合には、その注文
者の損害賠償請求権と請負人の報酬請求権とは、同時履行の関係
に立つ。

○ **008**

双務契約の当事者の一方は、相手方がその債務の履行（債務の履行に代わる損害賠償の債務の履行を含む。）を提供するまでは、自己の債務の履行を拒むことができる（533・同時履行の抗弁権）。

○ **009**

同時履行の抗弁権は、双務契約の当事者に認められる権利である。そのため、売主が代金債権を第三者に譲渡したとしても、売主は買主に対して、依然として同時履行の抗弁権を主張することができる。

× **010**

賃貸人の敷金返還債務と賃借人の建物明渡債務は、賃借人の建物明渡債務が先履行義務となる（622の2Ⅰ①）。

○ **011**

請負契約は双務契約である。目的物に種類・品質に関する契約内容の不適合がある場合において、双務契約の当事者の一方は、相手方がその債務の履行（債務の履行に代わる損害賠償の債務の履行を含む。）を提供するまでは、自己の債務の履行を拒むことができる（533）。

AとBが、Bの所有する動産をAに譲渡し、Aがその代金をCに支払う旨の第三者のためにする契約を締結した場合には、AはBが当該動産を引き渡すまで、Cに対する代金の支払を拒絶することができる。

売主が買主に対して目的物引渡債務についての弁済の提供をした後に代金の支払請求をした場合には、その提供が継続されていないときであっても、買主は、同時履行の抗弁を主張することができない。

業務執行組合員から出資の履行を請求された組合員は、他の組合員が出資の履行をしていないことを理由として同時履行の抗弁を主張することはできない。

○ 012

債務者は、第三者のためにする契約に基づく抗弁をもって、その契約の利益を受ける第三者に対抗することができる（539）。例えば、諾約者は、要約者が反対給付をしない場合には、受益者に対して同時履行の抗弁権（533）を行使して、給付を拒絶することができる。

× 013

双務契約の当事者の一方は、相手方の履行の提供があったとしても、提供が継続されない限り同時履行の抗弁権を失わない（最判昭34.5.14）。

○ 014

他の組合員の債務不履行を理由に533条の規定（同時履行の抗弁）は、組合契約について、適用されない（667の2Ⅰ）。

❸ 危険負担

危険負担

015 ⬜⬜⬜　　　　　　　　　平8-8-ア（平元-15-ア、平23-16-3）

AはBに対してA所有の建物を売り渡す契約をしたが、引渡しも登記もしない間に建物が地震によって滅失した。AB間で特約がされていない場合には、Bは売買代金の支払いを拒むことができる。

016 ⬜⬜⬜　　　　　　　　　　　　　　　　　令2-17-ア

定型約款準備者と相手方が定型約款を契約の内容とする旨の合意をした場合であっても、定型約款の個別の条項の一部について、相手方がその内容を認識していなかったときは、その条項については合意をしたものとはみなされない。

017 ⬜⬜⬜　　　　　　　　　　　　　　　　　令2-17-ウ

定型約款準備者は、定型取引合意の際に相手方に対して定型約款を記載した書面を交付していた場合であっても、定型取引合意の後相当期間内に相手方から請求があったときは、定型約款の内容を示さなければならない。

018 ⬜⬜⬜　　　　　　　　　　　　　　　　　令2-17-エ

定型約款準備者が定型取引合意の前に相手方から定型約款の内容を示すことを請求されたにもかかわらず、正当な事由がないのにその請求を拒んでいたときは、定型約款の個別の条項が合意されたものとみなされることはない。

○ **015**

当事者双方の責めに帰することができない事由によって債務を履行することができなくなったときは、債権者は、反対給付の履行を拒むことができる（536Ⅰ）。

× **016**

定型取引合意をした定型約款準備者と相手方は、定型約款を契約の内容とする旨の合意をしたときは、定型約款に記載された個別の条項について相手方が認識していなくても、定型約款の個別の条項について合意をしたものとみなされる（548の2Ⅰ①）。

× **017**

定型取引を行い、又は行おうとする定型約款準備者は、定型取引合意の前又は定型取引合意の後相当の期間内に相手方から請求があった場合には、遅滞なく、相当な方法でその定型約款の内容を示さなければならない（548の3Ⅰ本文）。ただし、定型約款準備者が既に相手方に対して定型約款を記載した書面を交付し、又はこれを記録した電磁的記録を提供していたときは、相手方の請求があっても、これに応ずる必要はない（548の3Ⅰ但書）。

○ **018**

定型約款準備者が定型取引合意の前において定型約款の内容の表示の請求を拒んだときは、一時的な通信障害が発生した場合その他正当な事由がある場合を除き、548条の2の規定は適用されず、定型約款の個別の条項について合意をしたものとはみなされない（548の3Ⅱ・Ⅰ）。

契約総論

❸ 危険負担

第6編

契約各論

❶ 売買契約・贈与契約

売買の成立

平13-17-ア（令2-18-ア）

001 ☐☐☐

解約手付が授受された売買契約に関して、売主が売買契約を解除するには、買主に対し、手付の倍額を償還する旨を告げてその受領を催告するのみでは足りず、その現実の提供をしなければならない。

002 ☐☐☐
令2-18-ウ

解約手付が授受された売買契約において、履行に着手するとは、客観的に外部から認識し得るような形で履行行為の一部をなし、又は履行の提供をするために欠くことのできない前提行為をしたことを意味する。

003 ☐☐☐
令2-18-エ

解約手付が授受された売買契約において、第三者所有の不動産について売買契約が締結された場合に、売主が当該第三者から当該不動産を買い受けた上で代金を支払い、買主に譲渡する前提で当該不動産の所有権移転登記を受けたことは、履行の準備行為にすぎず、履行に着手したとはいえない。

004 ☐☐☐
平13-17-ウ（令2-18-オ）

解約手付が授受された売買契約においては、買主が売買代金の履行期前に売買代金を提供したとしても、履行の着手があったことにはならないので、売主は、売買契約を解除することができる。

○ **001**

買主が売主に手付を交付したときは、買主はその手付を放棄し、売主はその倍額を現実に提供して、契約の解除をすることができる（557Ⅰ）。

○ **002**

557条1項にいう履行の着手とは、債務の内容たる給付の実行に着手すること、すなわち、客観的に外部から認識し得るような形で履行行為の一部をなし又は履行の提供をするために欠くことのできない前提行為をした場合を指す（最大判昭40.11.24）。

× **003**

解約手付の授受された第三者所有の不動産の売買契約において、売主が、その不動産を買主に譲渡する前提として、当該不動産につき所有権を取得し、かつ、自己名義の所有権移転登記を経た場合には、557条1項にいう「契約の履行に着手」したときに当たる（最大判昭40.11.24）。

× **004**

債務に履行期の約定がある場合であっても、債務の履行期前に557条1項にいう履行の着手をすることができないわけではない（最判昭41.1.21）。買主が売買代金を提供する行為は、債務の内容たる給付の実行に着手したものであり、履行の着手があったといえる。

契約各論

❶ 売買契約・贈与契約

005 平24-17-オ

買主が売主に手付を交付した場合において、売主が売買契約を解除するためにした手付の倍額の現実の提供の受領を買主が拒んだときは、売主は、手付の倍額の金銭を供託しなければならない。

006 令2-18-イ

解約手付が授受された売買契約において、買主は、自己が契約の履行に着手した場合でも、売主がまだ履行に着手していなければ、手付を放棄して契約の解除をすることができる。

007 平24-17-ア

土地の売買契約の締結のために要した土地の測量費用は、別段の意思表示がないときは、買主がその全額を負担する。

008 令3-18-ア

売買の目的物の引渡しについて期限があるときは、代金の支払についても同一の期限を付したものとみなされる。

売買の効力

009 平23-17-4

他人の物の売買において、目的物の所有者が売買契約成立の当時から当該目的物を他に譲渡する意思がなく、したがって、売主が当該目的物を取得して買主に移転することができないような場合には、当該売買契約は、無効である。

× 005

買主が売主に手付を交付したときは、当事者の一方が契約の履行に着手するまでは、買主はその手付を放棄し、売主はその倍額を現実に提供して、契約の解除をすることができる（557 I 本文）。この点、現実の提供を要するが買主が受領することまでは必要ではない（大判大3.12.8）。

○ 006

売買契約の当事者は、相手方が契約の履行に着手するまでは、557条1項本文による契約の解除をすることができる（557 I 但書）。

× 007

売買契約に関する費用（契約費用）は、当事者双方が等しい割合で負担する（558）。

× 008

売買の目的物の引渡しについて期限があるときは、代金の支払についても同一の期限を付したものと推定される（573）。

× 009

他人物売買において、目的物の所有者が売買契約成立時から当該目的物を他に譲渡する意思がなく、売主が買主に当該目的物を移転できない場合でも、当該売買契約は、有効である（最判昭25.10.26）。

第三者の所有する土地を目的とする売買契約であることを契約時
に知っていた買主Aは、売主Bから当該土地の引渡しを受けたもの
の、その後、当該土地の所有権の移転を受けることができなかった。
この場合において、売買契約を解除したAは、Bに対し、当該土地
の使用利益を返還すべき義務を負う。

Bに債権を有するAは、Bとの間でB名義の土地につき代物弁済の
予約をしたが、Bが弁済をしなかったため、予約完結権を行使した。
同土地が、真実はBの子Cの所有であり、BがCに無断で上記の代
物弁済の予約をしていたにすぎなかった場合において、Bが死亡
し、CがBを相続したときは、Cは、Aに対し同土地の引渡しを拒
むことができる。

他人の権利の売主がその権利を取得して買主に移転し得る状態に
あったにもかかわらず、買主がその他人から自ら直接その権利を
取得したことにより、売主の債務が履行不能になった場合には、買
主は、他人の権利の売買における売主の責任に基づき売買契約を
解除することができない。

○ **010**

売買契約が解除された場合に、目的物の引渡しを受けていた買主は、原状回復義務の内容として、解除までの間目的物を使用したことによる利益を売主に返還すべき義務を負うものであり、これは、他人の権利の売買契約において、売主が目的物の所有権を取得して買主に移転することができず、561条（現：565・564・541・542）の規定により当該契約が解除された場合についても同様である（最判昭51.2.13）。

○ **011**

他人物売買の売主の相続人は、相続によって売主の義務ないし地位を承継しても、相続前と同様その権利の移転につき諾否の自由を有し、信義則に反すると認められるような特別の事情のない限り、売買契約上の売主としての履行義務を拒絶することができる（最大判昭49.9.4）。

○ **012**

他人物売買の売主の債務の全部が履行不能となった場合、債権者である買主は契約の解除をすることができる（561・542Ⅰ①）。しかし、債務の不履行が債権者の責めに帰すべき事由によるものであるときは、債権者は、541条及び542条による契約の解除をすることができない（543）。

013 □□□   平24-17-イ（平19-14-エ）

買い受けた土地について抵当権の登記がある場合には、買主は、抵当権消滅請求の手続が終わるまで、売買代金の支払を拒むことができるが、これに対して売主が売買代金の供託を請求したにもかかわらず買主が供託をしなかったときは、買主は、売買代金の支払を拒むことができなくなる。

014 □□□   令3-18-ウ

売主が売買の目的物の引渡しを遅滞しているときは、買主に対して現実に目的物の引渡しがされていなくとも、売買の目的物から生じた果実は買主に帰属する。

契約不適合

015 □□□   平29-16-ウ

他人の権利を目的とする売買の売主は、その責めに帰すべき事由によって当該権利を取得して買主に移転することができない場合には、契約の時にその権利が売主に属しないことを買主が知っていたとしても、債務不履行に基づく損害賠償責任を負う。

○ 013

契約の内容に適合しない抵当権の登記があるときは、買主は、抵当権消滅請求の手続が終わるまで、その代金の支払を拒むことができる（577Ⅰ）。この場合、売主は、買主に対して代金の供託を請求することができる（578）。そして、売主が代金供託を請求したにもかかわらず、買主が代金の支払も供託も行わないときは、買主は代金の支払を拒むことができなくなる（大判昭14.4.15）。

× 014

まだ引き渡されていない売買の目的物が果実を生じたときは、その果実は、売主に帰属する（575Ⅰ）。この点、売主が売買の目的物の引渡しを遅滞しているときであっても、目的物から生じる果実は、売主に帰属する（大連判大13.9.24）。

○ 015

他人の権利（権利の一部が他人に属する場合におけるその権利の一部を含む。）を売買の目的としたときは、売主は、その権利を取得して買主に移転する義務を負う（561）。この点、売主の責めに帰すべき事由によって買主に権利を移転することができないときは、買主は、債務不履行の一般原則の規定に従い、契約を解除し、損害賠償の請求をすることができる（564）。

契約各論

❶ 売買契約・贈与契約

売主が種類、品質又は数量に関して契約の内容に適合しない目的
物を買主に引き渡した場合において、売主が履行の追完を拒絶す
る意思を明確に表示したときは、買主は、その不適合の程度に応
じて代金の減額を請求するために、履行の追完の催告をすること
を要しない。

売主が種類、品質又は数量に関して契約の内容に適合しない目的
物を買主に引き渡した場合であっても、売主の責めに帰すべき事
由がないときは、買主は、その不適合を理由として、当該売買契
約の解除をすることができない。

売主が種類又は品質に関して契約の内容に適合しない目的物を買
主に引き渡した場合であっても、買主がその不適合を知った時か
ら1年以内にその旨を売主に通知しなかったときは、売主がその引
渡しの時にその不適合を知り、又は重大な過失によって知らなかっ
たときを除き、買主は、その不適合を理由として、損害賠償の請
求をすることができない。

不動産の売買契約と同時にした買戻しの特約により売主が売買契
約を解除しようとする場合において、当事者が別段の意思を表示
しなかったときは、売主は、売買代金に利息を付して返還しなけれ
ばならない。

○ 016

売主が履行の追完を拒絶する意思を明確に表示したときは、買主は、催告をすることなく、直ちに代金の減額を請求することができる（563Ⅱ②）。

× 017

引き渡された目的物が種類、品質又は数量に関して契約の内容に適合しない場合の解除については、債務不履行の一般規定に委ねられており、売主の帰責事由は問われない（564・541・542）。

○ 018

売主が種類又は品質に関して契約の内容に適合しない目的物を買主に引き渡した場合において、買主がその不適合を知った時から1年以内にその旨を売主に通知しないときは、売主が引渡しの時にその不適合を知り、又は重大な過失によって知らなかったときを除き、買主は、その不適合を理由として、履行の追完の請求、代金の減額の請求、損害賠償の請求及び契約の解除をすることができない（566）。

× 019

不動産の売主が買戻特約に基づいて売買契約の解除をする場合、当事者が別段の意思を表示しなかったときは、不動産の果実と代金の利息とは相殺したものとみなされる（579後段）。

贈与

020 □□□   令6-18-ア

他人物を目的とする贈与は、贈与者がその物の所有権を取得した
時からその効力を生ずる。

021 □□□   平5-11-1

甲が乙に対して、既登記の建物を口頭によって贈与した場合、甲が
乙に対し建物を引き渡したときであっても、所有権移転登記をす
るまでの間は、贈与を撤回することができる。

022 □□□   平5-11-5

甲が乙に対して、未登記の建物を口頭によって贈与した場合、甲が
乙にその建物を引き渡したときは、贈与を撤回することができな
い。

023 □□□   令6-18-オ

Aが、BがCに10年間にわたり毎年200万円を支払うという負担
付きで、Bに対して4000万円に相当すると考えた甲建物を贈与
した場合において、甲建物に不具合が存在していたために3000
万円の価値しかないことが判明したときであっても、Bは、Aに対
し、Cに支払うべき金銭の減額を請求することはできない。

× **020**

贈与は、当事者の一方がある財産を無償で相手方に与える意思を表示し、相手方が受諾をすることによって、その効力を生ずる（549）。

× **021**

書面によらない贈与は、各当事者においてこれを解除することができる（550本文）。しかし、「履行の終わった部分」については、解除することができない（550但書）。具体的には、動産については引渡しが、不動産については、引渡しないし所有権移転登記のいずれかがされた時に履行が終わったものと解されている（大判明43.10.10、最判昭40.3.26）。

○ **022**

書面によらない不動産の贈与の場合、既登記・未登記を問わず、引渡しないし所有権移転登記のいずれかがされれば、履行が終わったものとして（550但書）、もはや贈与契約を解除することができなくなる（最判昭40.3.26）。

○ **023**

負担付贈与については、贈与者は、その負担の限度において、売主と同じく担保の責任を負う（551Ⅱ）が、「負担の限度において」とは、受贈者が負担を履行することによって損失を被らない限度まで、を意味する。BがCに10年間にわたり計2000万円を支払う場合、甲建物に3000万円の価値があれば、Bは損失を被らない。

死因贈与については、遺贈に関する規定が適用されるから、15歳に達した者が死因贈与をするには、法定代理人の同意は不要である。

死因贈与は、自筆証書によるなど法律で定める方式に従わなくてはならない。

死因贈与における受贈者は、贈与者の死亡後、贈与の放棄をすることができない。

遺贈が遺留分を害する場合には、遺留分権利者による遺留分侵害額請求の対象となるが、死因贈与はその対象とはならない。

死因贈与については、その性質に反しない限り遺贈に関する規定が準用される（554）が、行為能力に関する規定（961・962）などは準用されない。そのため、未成年者である以上、死因贈与をするには法定代理人の同意が必要である（5Ⅰ）。

死因贈与は遺贈の規定が準用される（554）が、これは、本人の死後に効果が生じるという共通の経済的作用からであり、方式（967以下）や能力（961）の規定は準用されない。

死因贈与には遺贈に関する規定が準用されるが（554）、遺贈の承認・放棄の規定（986Ⅰ）は、遺贈が単独行為であることに基づくものであるから、契約である死因贈与には準用されない（最判昭43.6.6）。したがって、死因贈与における受贈者は、その放棄をすることができない。

　遺留分は、本来遺産の一定の割合であるから、遺贈のみを制限すべきであるが、遺留分制度の潜脱を防止するため、相続人以外に対して相続開始前1年間にされた贈与及び1年前の日より前にしたものでも当事者双方が遺留分権利者に損害を加えることを知ってした贈与も、遺留分算定の基礎となる財産に含め（1044Ⅰ）、遺留分侵害額請求の対象とすることが認められている。したがって、死因贈与も遺留分侵害額請求の対象となる（1046Ⅰ）。

契約各論

① 売買契約・贈与契約

死因贈与においては、受贈者に一定の給付をする債務を負担させることができる。

○ **028**

死因贈与も当事者の合意による贈与契約であるから、負担付贈与（553）の規定が除外されるわけではない。

契約各論

❶ 売買契約・贈与契約

❷ 消費貸借・賃貸借・使用貸借

消費貸借

029 ☐☐☐
平20-17-ア改題

消費貸借は、当事者の一方が目的物を受け取ることによって効力を生ずる契約である。

030 ☐☐☐
平27-19-ア

消費貸借が成立した場合、貸主は目的物を貸し渡す債務を負い、借主は目的物を返還する債務を負う。

031 ☐☐☐
平11-6-オ改題

無利息の消費貸借の借主は、貸主の承諾がなければ、第三者に目的物を使用収益させることができない。

032 ☐☐☐
平27-19-エ（令2-19-オ）

無利息の消費貸借の目的物に種類・品質に関する契約内容の不適合があったときは、借主は、不適合がある物の価額を返還することができる。

× **029**

消費貸借は、当事者の一方が種類、品質及び数量の同じ物をもって返還することを約して相手方から金銭その他の物を受け取ることによって、その効力を生ずる（587・要物契約）。一方、書面でする消費貸借は、当事者の一方が金銭その他の物を引き渡すことを約し、相手方がその受け取った物と種類、品質及び数量の同じ物をもって返還をすることを約することによって、その効力を生ずる（587の2Ⅰ・諾成契約）。

× **030**

書面でする消費貸借は、契約の成立によって、貸主の貸す義務が発生する（587の2）。一方、書面によらない消費貸借は、当事者の一方が種類、品質及び数量の同じ物をもって返還することを約して相手方から金銭その他の物を受け取ることによって、その効力を生ずる要物契約である（587）。つまり、書面によらない消費貸借は、成立の時点において既に目的物を受け取っており、貸主は契約成立後に貸し渡す債務を負うものではない。

× **031**

消費貸借の借主は、目的物の所有権を取得する。そのため、貸主の承諾がなくても、第三者に目的物を使用収益させることができる。

○ **032**

利息の特約の有無を問わず、貸主から引き渡された物に契約不適合があるときは、借主は、その物の価額を返還することができる（590Ⅱ）。

消費貸借契約における借主の返還債務に期限の定めがない場合、貸主は、いつでも、相当の期間を定めて、返還の催告をすることができ、その催告があったときは、借主は、その催告期間中に返還しなければならない。

消費貸借契約において返還の時期が定められていなかった場合において、貸主が期間を明示せずに返還の催告をしたときであっても、借主が催告を受けた時から返還の準備をするのに相当な期間を経過したときは、借主は、返還義務について遅滞の責任を負う。

目的物の返還の時期の定めがある場合には、消費貸借の貸主は、期限が到来した時からその返還の請求をすることができる。

目的物の返還の時期の定めがある場合には、消費貸借の借主は、いつでもその返還をすることができる。

無利息の消費貸借の借主が死亡した場合には、契約は、その効力を失う。

○ **033**

期限の定めのない消費貸借契約においては、貸主はいつでも相当の期間を定めて返還を催告でき、この期間の徒過により借主は遅滞に陥る（591Ⅰ）。

○ **034**

当事者が返還の時期を定めなかったときは、貸主は、相当の期間を定めて返還の催告をすることができる（591Ⅰ）。この点、貸主が一定の時期や期間を明示せずに返還の催告をした場合であっても、その催告の時から借主が返還の準備をするのに相当な期間を経過した後は、借主は返還を拒否することはできず、履行をすべき時期は到来し、以後借主は履行遅滞の責任を負う（大判昭5.1.29）。

○ **035**

消費貸借契約において、返還時期の定めがある場合、消費貸借の貸主は、期限の到来した時から、その返還を請求することができる（135）。

○ **036**

消費貸借契約において、借主は、返還の時期の定めの有無にかかわらず、いつでも返還をすることができる（591Ⅱ）。

× **037**

消費貸借は借主の死亡により契約の効力を失わず、その地位は相続人に承継される（896本文）。

契約各論

❷ 消費貸借・賃貸借・使用貸借

038 □□□   令2-19-ア

書面でする消費貸借契約の貸主は、借主に対して目的物を交付す
るまでは、契約の解除をすることができる。

039 □□□   平7-1-1（平27-19-ウ）

借主が破産手続開始の決定を受けた場合、書面でする消費貸借の
効力は当然に消滅する。

040 □□□   平27-19-イ

利息付きの金銭消費貸借における利息は、特約のない限り、消費
貸借の成立の日の翌日から発生する。

賃貸借・使用貸借

041 □□□   平24-18-4改題

使用貸借は、寄託と同様に、借主（受寄者）が目的物を受け取る
ことによって、その効力を生ずる。

042 □□□   平24-18-1（平11-6-ア）

使用貸借における貸主は、贈与における贈与者と同様に、目的で
ある物又は権利を、その目的として特定した時の状態で引き渡し、
又は移転することを約したものと推定される。

× **038**

書面でする消費貸借の借主は、貸主から金銭その他の物を受け取るまで、契約の解除をすることができるが、貸主にそのような解除権はない（587の2Ⅱ参照）。

○ **039**

書面でする消費貸借は、借主が貸主から金銭その他の物を受け取る前に当事者の一方が破産手続開始の決定を受けたときは、その効力を失う（587の2Ⅲ）。

× **040**

消費貸借において、利息の特約があるときは、貸主は借主が金銭その他の物を受け取った日以後の利息を請求することができる（589Ⅱ）。

× **041**

使用貸借、寄託ともに諾成契約である（593・657）。

○ **042**

贈与者は、贈与の目的である物又は権利を、贈与の目的として特定した時の状態で引き渡し、又は移転することを約したものと推定する（551Ⅰ）。また、551条の規定は、使用貸借について準用する（596）。

使用貸借の借主は、貸主の承諾がなければ、第三者に目的物を使用収益させることができない。

使用貸借は、当事者のいずれか一方の死亡によって終了する。

使用貸借における貸主は、賃貸借における賃貸人と同様に、借主（賃借人）が契約又はその目的物の性質によって定まった用法に従わずに目的物の使用又は収益をしたときであっても、原則として催告をしなければ契約の解除をすることができない。

使用貸借契約においては、返還の時期並びに使用及び収益の目的を定めなかったときは、貸主は、いつでも、契約の解除をすることができる。

使用貸借における貸主は、当事者が目的物の返還の時期を定めたときであっても、いつでもその返還を請求することができる。

○ 043

使用貸借の借主は、貸主の承諾がなければ、第三者に目的物を使用収益させることができない（594Ⅱ）。

× 044

使用貸借は、借主の死亡によって、その効力を失う（597Ⅲ）。これに対し、貸主の死亡は本条の規定するところではなく、別段の特約がない限り使用貸借の存続に影響がない。

× 045

使用貸借における借主は、契約又はその目的物の性質によって定まった用法に従い、その物の使用及び収益をしなければならない（594Ⅰ）。借主にこれに反する義務違反があれば、594条3項により、催告を要さず、直ちに解除をすることができる。

○ 046

使用貸借契約において、当事者が返還の時期並びに使用及び収益の目的を定めなかったときは、貸主は、いつでも契約の解除をすることができる（598Ⅱ）。

× 047

当事者が使用貸借の期間を定めたときは、使用貸借は、その期間が満了することによって終了する（597Ⅰ）。すなわち、目的物の返還時期の定めがあるときは、使用貸借の貸主は、いつでも返還を請求できるわけではない。

契約各論

❷ 消費貸借・賃貸借・使用貸借

契約の本旨に反する借主の使用又は収益によって生じた損害の賠償請求権については、貸主が返還を受けた時から1年を経過するまでの間は、時効は、完成しない。

AがB所有の甲土地の利用権として賃借権を有する場合において、Aは、当該利用権を目的とする抵当権を設定することができる。

AがB所有の甲土地の利用権として賃借権を有する場合において、当該利用権は、時効により取得することができる。

契約により動産の賃貸借の存続期間を100年と定めたとしても、その期間は、50年となる。

AがB所有の甲土地の利用権として賃借権を有する場合において、当該利用権の設定行為において存続期間を定めなかったときは、Bは、裁判所に対し、その存続期間を定めるよう請求することができる。

地上権の場合には、土地所有者は地上権者が土地を利用し得る状況におく義務はないが、賃借権の場合には、土地の賃貸人は賃借人が土地を利用し得る状況におく義務を負う。

○ 048

使用貸借契約の本旨に反する使用又は収益によって生じた損害賠償の請求権については、貸主が返還を受けた時から1年を経過するまでの間は、時効は、完成しない（600Ⅱ・Ⅰ）

× 049

賃借権を抵当権の目的とすることはできない（369Ⅰ・Ⅱ参照）。

○ 050

賃借権は、目的物の継続的な用益という外形的事実が存在し、かつ、それが、賃借の意思に基づくことが客観的に表現されているときは、時効取得が認められる（最判昭43.10.8）。

○ 051

賃貸借の存続期間は、50年を超えることができない（604Ⅰ前段）。そして、契約でこれより長い期間を定めたときであっても、その期間は、50年となる（604Ⅰ後段）。

× 052

賃借権の設定行為において存続期間を定めなかった場合、各当事者は、解約の申入れをすることができるが（617Ⅰ参照）、当事者が裁判所に対し、存続期間を定めることを請求できる旨の規定はない。

○ 053

土地賃借権の場合には、土地所有者の積極的行為が要求され、賃貸人は土地を利用し得る状況におく義務を負うことになるのに対して、地上権の場合には、土地所有者にこのような義務は生じない。

契約各論

❷ 消費貸借・賃貸借・使用貸借

054 □□□ 令3-19-ウ

賃貸人は、賃借人の責めに帰すべき事由によって修繕が必要となったときでも、賃貸物の使用及び収益に必要な修繕をする義務を負う。

055 □□□ 令3-19-エ

賃借人は、賃借物について賃貸人の負担に属する必要費を支出したときは、賃貸人に対して、直ちにその償還を請求することができる。

056 □□□ 令3-19-オ

賃借物の一部が滅失し、使用及び収益をすることができなくなった場合であっても、それが賃貸人の責めに帰すべき事由によるものでなければ、その賃料が減額されることはない。

057 □□□ 平18-19-ウ

Aが自己所有の甲建物をBに賃貸して引き渡したという事例で、Bが甲建物について有益費を支出した後に、Aが甲建物をCに譲渡したときは、有益費の償還請求は、Aに対してしなければならない。

賃貸人は、賃貸物の使用及び収益に必要な修繕をする義務を負う（606Ⅰ本文）。しかし、賃借人の責めに帰すべき事由によってその修繕が必要となったときは、賃貸人は修繕義務を負わない（606Ⅰ但書）。

○ 055

賃借人は、賃借物について賃貸人の負担に属する必要費を支出したときは、賃貸人に対し、直ちにその償還を請求することができる（608Ⅰ）。

× 056

賃借物の一部が滅失その他の事由により使用及び収益をすることができなくなった場合において、それが賃借人の責めに帰することができない事由によるものであるときは、賃料は、その使用及び収益をすることができなくなった部分の割合に応じて、減額される（611Ⅰ）。

× 057

賃貸人たる地位が譲受人又はその承継人に移転したときは、費用償還債務（608）及び敷金返還債務（622の2Ⅰ）は、譲受人又はその承継人が承継する（605の2Ⅳ）。

契約各論

❷ 消費貸借・賃貸借・使用貸借

建物の賃借人による賃貸人の負担に属する必要費又は有益費の償
還請求に関して、賃借人が支出した必要費の償還は、賃貸人が目
的物の返還を受けた時から1年以内に請求しなければならないが、
この1年の期間とは別に、賃借人が必要費を支出した時から消滅時
効が進行する。

借地人Aが借地上に養母B名義で登記をした建物を所有している
場合において、その借地が第三者Cに譲渡され、その後にBが死
亡し、その建物につきAがBから相続した旨の所有権移転の登記を
経由したときは、Aは、Cに対し、その借地権を対抗することがで
きる。

借地人が借地上に自己を所有者とする表示の登記をした建物を所
有している場合、その表示の登記が職権によってされたものであっ
ても、借地人は、その後に借地の所有権を取得した者に対し、そ
の借地権を対抗することができる。

Aがその所有する甲土地をBに賃貸し、Bが甲土地上に登記されて
いる建物を所有している場合において、Aが甲土地をCに売り渡し
たときは、Cは、甲土地の所有権の移転の登記を経由しなければ、
Bに対し、賃貸人たる地位を主張することができない。

○ 058

賃借人が支出した費用の償還は、賃貸人が返還を受けた時から1年以内に請求しなければならない（622・600 I ）が、この1年の期間とは別に、消滅時効に服する（166 I 、大判昭8.2.8）。そして、当該償還請求権は、賃借人が賃貸人の負担に属する必要費を支出した時に直ちに行使できるものであるため（608 I ）、その消滅時効は、賃借人が賃貸人の負担に属する必要費を支出した時から進行する。

× 059

「登記されている建物」（借地借家10）といえるためには、建物が借地権者自身の名義で登記されている必要がある（最判昭41.4.27）。したがって、借地人Aが養母B名義で登記をした建物を所有していたとしても、Aの借地権につき借地借家法10条の対抗要件が具備されたことにはならず、借地人Aは、土地譲受人Cに対し、借地権をもって対抗することができない。

○ 060

表示の登記も、「登記」（借地借家10）に当たる（最判昭50.2.13）。

○ 061

賃貸中の土地を譲り受けた者は、その所有権の移転につき登記を経由しない限り、賃借人に対して賃貸人たる地位を主張することができない（605の2 Ⅲ ）。

Aが自己所有の甲建物をBに賃貸して引き渡したという事例で、Aが甲建物をCに譲渡したが、まだCが甲建物について所有権の移転の登記をしていないときは、Bは、Aに対して賃料を支払わなければならない。

Aが自己所有の甲建物をBに賃貸して引き渡したという事例で、Bが死亡してその妻Eと子FがBの権利義務を相続し、EとFが甲建物に居住しているときは、Aは、Fに対してBが死亡した後の賃料の全額の支払を請求することができる。

Aは、その所有する甲土地をBに賃貸し、その後、Cに対して甲土地を譲渡した。この事例において、AがCに甲土地を譲渡したのは、Bが賃借権について対抗要件を具備した後であった場合、Aが有していた賃貸人たる地位は、Bの承諾がなくても当然にCに移転する。

不動産の譲渡人が賃貸人であるときは、その賃貸人たる地位は、賃借人の承諾を要しないで、譲渡人と譲受人との合意により、譲受人に移転させることができる。

B所有の土地を賃借したAは、賃借権を登記する特約をしていなければ、Bに対し賃借権設定登記手続を請求することができない。

✕ 062

賃貸借の対抗要件を備えた場合において、その不動産が譲渡されたときは、その不動産の賃貸人の地位は、その譲受人に移転する（605の2Ⅰ）。そして、新所有者が賃借人に賃料を請求するためには、登記が必要である（605の2Ⅲ）。もっとも、登記がされていなくても賃借人の側から新所有者を賃貸人と認め、賃料を払うことはできる。

○ 063

相続人は被相続人の一切の権利義務を承継する（896）から、被相続人が賃借人であった場合、相続人は賃料債務を相続することになる。そして賃料債務は、不可分な利用の対価であり、性質上不可分債務であるから、各相続人に不可分的に帰属し、各相続人が全部について責任を負う（大判大11.11.24）。

○ 064

不動産賃借権が登記された場合及び、借地借家法10条又は31条その他の法令の規定による賃貸借の対抗要件を備えた場合において、その不動産が譲渡されたときは、その不動産の賃貸人たる地位は、その譲受人に移転する（605の2Ⅰ）。

○ 065

不動産の譲渡人が賃貸人であるときは、その賃貸人たる地位は、賃借人の承諾を要しないで、譲渡人と譲受人との合意により、譲受人に移転させることができる（605の3前段）。

○ 066

賃借人は賃貸人に対して当然に賃借権の登記を請求できるものではなく、特約がある場合に限り、賃借権の設定登記を請求することができる（大判大10.7.11）。

067 ☐☐☐

Aがその所有する甲土地をBに賃貸し、その旨の登記がされた後、Cが甲土地上に不法に乙建物を建ててこれを使用している場合には、Bは、Cに対し、甲土地の賃借権に基づき乙建物を収去して甲土地を明け渡すことを求めることができる。

068 ☐☐☐

賃貸借契約における借主は、貸主の承諾がなければ、第三者に目的物を使用収益させることができない。

069 ☐☐☐

A所有の甲建物をAから賃借したBがAの承諾を得て甲建物をCに転貸した場合に、Cは、Aに対し、賃料の支払義務を負うが、Aからの請求に対しては、Bの賃借料とCの転借料のうち、いずれか低い方の金額を支払えば足りる。

070 ☐☐☐

A所有の甲建物をAから賃借したBがAの承諾を得て甲建物をCに転貸した場合に、Aは、Cに対し、甲建物の使用及び収益に必要な修繕をする義務を負う。

071 ☐☐☐

建物の賃借人による賃貸人の負担に属する必要費又は有益費の償還請求に関して、賃借人が適法に賃借物を転貸した場合において、必要費を支出した転借人は、転貸人のほか、賃貸人に対しても、直接にその償還請求権を行使することができる。

○ 067

原則として債権に基づく妨害排除請求及び返還請求は認められないが、対抗力を備えた不動産賃借権については、賃借権に基づく妨害排除請求及び返還請求が認められる（605の4）。

○ 068

賃貸借の借主は、貸主の承諾がなければ、第三者に目的物を使用収益させることができない（612Ⅰ）。

○ 069

賃借人が適法に賃借物を転貸したときは、転借人は、賃貸人と賃借人との間の賃貸借に基づく賃借人の債務の範囲を限度として、賃貸人に対して転貸借に基づく債務を直接履行する義務を負う（613Ⅰ前段）。したがって、Cは、Bの賃借料とCの転借料のうち、いずれか低い方の金額をAに支払えば足りる。

× 070

転貸借があっても、賃貸人と転借人との間には直接の契約関係はなく、相互に何ら権利義務は発生せず、賃貸人は転借人に対して義務を負わない。

× 071

適法に転貸がされたとしても、賃貸人と転借人との間に契約関係がないことに変わりはないため、転借人は賃貸人に対して修繕の請求や費用償還請求をすることはできない。

Ａ所有の甲建物をＡから賃借したＢがＡの承諾を得て甲建物をＣに
転貸した場合に、Ｂの賃料支払債務の不履行を理由にＡＢ間の賃
貸借契約を解除する場合には、Ａは、あらかじめＣに対して賃料の
支払を催告しなければならない。

原賃貸人の承諾を得て転貸借が行われた場合において、その後に
原賃貸借が合意解除されたときは、原賃貸人は、転借人に対し、
目的物の返還を求めることができる。

ＡがＢ所有の甲土地の利用権として賃借権を有する場合において、
Ｂの承諾を得ずにＡから当該利用権を譲り受け、甲土地を使用して
いるＣがいるときは、Ｂは、Ｃに対し、甲土地の明渡しを請求する
ことができる。

Ａがその所有する甲土地をＢに賃貸した後、ＢがＡの承諾を得るこ
となく甲土地をＣに転貸した場合には、Ａは、Ｃに対し、所有権に
基づく返還請求権を行使して、甲土地のＢへの明渡しを求めるこ
とはできるが、Ａへの明渡しを求めることはできない。

× 072

賃貸人の承諾のある適法な転貸借において、賃貸借契約を債務不履行により解除する場合、転借人に対する催告は不要である（最判平6.7.18）。

× **073**

賃貸借を合意により解除したことをもって転借人に対抗できない。なお、解除当時、賃貸人が賃借人の債務不履行による解除権を有していたときは対抗できる（613Ⅲ本文）。

○ **074**

賃借権は、賃貸人の承諾を得なければ、賃借権を譲渡することはできない（612Ⅰ）。したがって、BはCに対し、明渡しを請求することができる。

× **075**

土地の賃借権が無断転貸された場合、賃貸人は、現賃貸借契約を解除することなく、転借人に対して当該土地の返還を請求することができる（最判昭26.4.27）。そして、この場合、賃貸人は、直接自己への明渡しを請求することができる（同判例）。

契約各論

❷ 消費貸借・賃貸借・使用貸借

076 ☐☐☐

BがAの承諾を得ることなく無権限でCに対しA所有の甲土地を賃貸し、Cが甲土地を占有している場合には、Aは、Bに対し、所有権に基づく返還請求権を行使して甲土地の明渡しを求めることができない。

077 ☐☐☐

Aが自己所有の甲建物をBに賃貸して引き渡したという事例で、BがAに無断でDに賃借権を譲渡し、Dが居住を開始したときは、Aは、Dに対して賃料の支払を請求することができる。

078 ☐☐☐

原賃貸人に無断で転貸借が行われた場合には、転借人は、原賃貸人の承諾を得られるまでの間、転貸人（原賃借人）からの賃料の支払請求を拒むことができる。

079 ☐☐☐

賃貸借契約の借主が死亡した場合には、契約は、その効力を失う。

080 ☐☐☐

敷金が授受された賃貸借契約の終了の前において、賃貸人は、敷金を未払の賃料債権の弁済に充てることができない。

× **076**

所有権に基づく返還請求権は、間接占有者である賃貸人に対しても行使することができる（大判昭13.1.28）。

○ **077**

賃借権の無断譲渡がされた場合、賃貸人は、契約を解除することができる（612Ⅱ）。しかし、賃借権の無断譲渡は、これを賃貸人に対抗することができないだけであり、譲渡自体は有効であるから、賃貸人Aは賃借権の譲受人Dに対して賃料を請求することができる。

× **078**

無断転貸借であっても、転貸人・転借人間の転貸借契約自体は有効であるから、転借人は転貸人からの賃料の支払請求を拒むことはできない。

× **079**

賃借人の死亡は賃貸借契約の終了事由ではなく、その地位は相続人に承継される（896本文）。

× **080**

賃借人が賃料の支払を怠った場合には、賃貸借継続中であっても、賃貸人は敷金を延滞賃料に充当することができる（622の2Ⅱ前段）。

Aは、その所有する甲土地をBに賃貸し、その後、Cに対して甲土地を譲渡した。甲土地の譲渡に伴ってAの賃貸人たる地位がCに移転し、AからCに対する所有権の移転の登記もされた場合、BがAに対して交付していた敷金については、敷金契約を締結した相手方であるAに対して返還請求をすることになる。

Aが自己所有の甲建物をBに賃貸して引き渡したという事例で、AB間の賃貸借契約が終了した後に、Aが甲建物をCに譲渡したときは、Bは、Cに対して、BがAに差し入れた敷金の返還を請求することができる。

敷金が授受された建物の賃貸借契約に係る未払の賃料債権について、当該建物の抵当権者が物上代位権を行使して差し押さえた場合には、賃貸借契約が終了して当該建物が明け渡されたとしても、敷金は当該未払の賃料債権には充当されない。

× 081

賃貸人たる地位が譲受人又はその承継人に移転したときは、敷金の返還に係る債務は、譲受人又はその承継人が承継する（605の2Ⅳ）。

× 082

賃貸人が交代した場合、敷金は当然新賃貸人に引き継がれる（605の2Ⅳ）。しかし、賃貸借契約終了後に建物が譲渡され、賃貸人が交代した場合には、敷金は当然には建物譲受人には承継されず、旧所有者である譲渡人に対してのみ、その返還を請求することができる。

× 083

敷金がある抵当不動産の賃貸借契約に基づく賃料債権を抵当権者が物上代位権を行使して差し押さえた場合においても、当該賃貸借契約が終了し、目的不動産が明け渡されたときは、賃料債権は、敷金の充当によりその限度で消滅する（622の2Ⅱ、最判平14.3.28）。

契約各論

❷ 消費貸借・賃貸借・使用貸借

❸ 請負・委任・寄託

請負

084 ▢▢▢　　　　　　　　　　　　平30-19-イ改題

建物の建築を目的とする請負契約は、書面でしなければ、その効力を生じない。

085 ▢▢▢　　　　　　　　　　　　平30-19-ウ改題

請負契約は、有償契約のものも、無償契約のものもある。

086 ▢▢▢　　　　　　　　　　　　平23-19-イ

物の引渡を要しない場合において、請負人は、仕事の完成が不可能になったことについて請負人に帰責事由がない場合であっても、注文者にも帰責事由がないときは、請負人は、報酬を請求することができない。

087 ▢▢▢　　　　　　　　　平元-15-エ（平23-19-ウ）

請負契約の目的である建物の完成前に、注文者の責めに帰すべき事由によりその完成が不能となった場合、注文者は代金の支払いを拒むことができない。

088 ▢▢▢　　　　　　　　　　　　令5-18-ア

目的物の引渡しを要する請負契約においては、報酬は、仕事の目的物の引渡しと同時に、支払わなければならない。

× 084

請負契約は、諾成・不要式の契約であるから、意思表示だけでその効力を生ずる（632）。

× 085

請負契約は、一方が仕事の完成を約し、他方が報酬を支払うことを約することによって成立する有償契約である（632）。

○ 086

請負人には仕事完成義務があり（632参照）、仕事完成前に両当事者に帰責事由なく仕事の完成が不可能になった場合、債務者の危険負担（536Ⅰ）の問題とはならない。すなわち、請負人の仕事完成義務の履行が報酬の支払よりも先履行であり、仕事を完成できなければ、請負人は報酬の請求をすることができない。

○ 087

当事者双方の責めに帰することができない事由によって債務を履行することができなくなったときは、債権者は、反対給付の履行を拒むことができるが（536Ⅰ）、債権者の責めに帰すべき事由によって債務を履行することができなくなったときは、債権者は、反対給付の履行を拒むことができない（536Ⅱ）。

○ 088

請負においては、物の引渡しを要しないときを除き、報酬は、仕事の目的物の引渡しと同時に、支払わなければならない（633）。

契約各論

3 請負・委任・寄託

請負契約が仕事の完成前に解除された場合において、請負人が既にした仕事の結果のうち可分な部分の給付によって注文者が利益を受けるときは、請負人は、注文者が受ける利益の割合に応じて報酬を請求することができる。

土地の所有者から建物の建築工事を請け負った請負人は、自ら材料を提供して工事をし、建前を築いた場合であっても、建前の所有権は、土地の所有者である注文者に帰属する。

建物建築工事の請負契約の注文者が、建物の完成前に、請負代金の全額を契約で定めた支払期日までに請負人に支払った場合には、完成した建物の所有権は、注文者に帰属する。

建物建築工事の請負契約において、完成した建物の所有権は、注文者が取得する旨の合意がされている場合には、請負人が自ら材料を提供しており、かつ、注文者に対する引渡しがされていなくても、完成した建物の所有権は、注文者に帰属する。

請負契約において、仕事の目的物が契約の内容に適合せず、契約をした目的を達することができない場合でも、仕事の目的物が建物である場合は、注文者は契約の解除をすることができない。

○ **089**

請負が仕事の完成前に解除された場合において、請負人が既にした仕事の結果のうち可分な部分の給付によって注文者が利益を受けるときは、その部分は仕事の完成とみなされ、請負人は、注文者が受ける利益の割合に応じて報酬を請求することができる（634②）。

× **090**

建築途中の建築材料の集合体（＝動産）たる「建前」の所有権の帰属については、243条（動産の付合）ではなく、246条2項の加工の規定により決定される（最判昭54.1.25）。

○ **091**

注文者が建物完成前に請負代金全額を完済しているときは、完成と同時に所有権を注文者に帰属させる「暗黙の合意」があったものと推認される（大判昭18.7.20）。

○ **092**

完成した建物の所有権は注文者が取得する旨の合意がされている場合には、契約自由の原則からその特約は有効であり、完成建物の所有権は注文者に帰属する（最判昭46.3.5）。

× **093**

請負契約において、仕事の目的物が契約の内容に適合せず、契約をした目的を達することができない場合、注文者は、仕事の目的物の内容を問わず、債務不履行による契約の解除の一般的な規律に従い、当該契約を解除することができる（559・564・541・542）。

契約各論

❸ 請負・委任・寄託

094 □□□ 平25-19-ウ（平23-19-エ、令5-18-イ）

請負契約においては、請負人が仕事を完成しない間は、注文者は、いつでも、請負人に生じた損害を賠償して、契約を解除することができる。

095 □□□ 平30-19-エ改題

請負契約の当事者の一方による解除は、将来に向かってのみその効力を生ずる。

096 □□□ 平30-19-オ改題

請負契約は、当事者のいずれかが後見開始の審判を受けた場合には、終了する。

委任

097 □□□ 平30-19-イ改題

委任契約は、書面でしなければ、その効力を生じない。

098 □□□ 平14-15-ア

委任契約においては、有償の場合と無償の場合とで、受任者の注意義務の程度は異ならない。

099 □□□ 平14-15-イ

委任契約には、第三者による義務の履行を禁止する規定はないので、受任者は、いつでも第三者をして委任事務を処理させることができる。

○ **094**

請負契約において、請負人が仕事を完成しない間は、注文者は、いつでも損害を賠償して契約の解除をすることができる（641）。

✕ **095**

請負契約の解除には、遡及効がある（545 I 参照）。

✕ **096**

請負契約においては、各当事者が後見開始の審判を受けたことは契約の終了事由とされていない。

✕ **097**

委任契約は、諾成・不要式の契約であり（643）、書面によることを要しない。

○ **098**

受任者には善管注意義務が課され（644）、有償、無償の場合で、注意義務の程度は異ならない。

✕ **099**

受任者は、委任者の許諾を得たとき、又はやむを得ない事由があるときでなければ、復受任者を選任することができない（644の2 I）。

100 ☐☐☐ 平14-15-ウ

委任契約は、原則として無償とされているが、有償の場合、受任者は、報酬の支払があるまでは委任事務の履行を拒絶することができる。

101 ☐☐☐ 平23-19-ア

有償委任における受任者は、委任事務の履行が中途で終了したことについて自己に帰責事由がない場合、既にした履行の割合に応じて報酬を請求することができる。

102 ☐☐☐ 令5-19-イ

受任者は、委任事務を処理するのに必要と認められる費用を支出したときは、委任者に対し、その費用の償還を請求することができるが、支出の日以後におけるその利息の償還を請求することはできない。

103 ☐☐☐ 平14-15-オ（平30-19-ア）

委任契約は、いつでも解除することができるが、相手方にとって不利な時期に解除をするには、やむを得ない事由がなければならない。

104 ☐☐☐ 平25-19-エ

委任契約においては、委任が受任者の利益のためにも締結された場合であっても、委任者は、いつでも、受任者に生じた損害を賠償して、契約を解除することができる。

委任契約が原則として無償であるとする点は正しい（648 I）。
しかし、有償委任における報酬の支払時期は、特約がなければ後
払い（「委任事務を履行した後」）が原則である（648 II）から、
報酬の支払と委任事務の履行とは同時履行の関係に立たない。

○ 101

委任が履行の中途で終了したときは、受任者は、自己に帰責事由
があるか否かにかかわらず、既にした履行の割合に応じて報酬を
請求することができる（648 III②）。

× 102

受任者は、委任事務を処理するのに必要と認められる費用を支出
したときは、委任者に対し、その費用及び支出の日以後における
その利息の償還を請求することができる（650 I）。

× 103

委任の当事者はいつでも契約を解除することができる（651 I）。
やむを得ない事由の存在は解除の要件とされていない。

× 104

委任は、各当事者がいつでもその解除をすることができる（651
I）。そして、委任者が受任者の利益（専ら報酬を得ることによ
るものを除く。）をも目的とする委任を解除したときは、委任者は、
原則として、受任者に生じた損害を賠償しなければならないが
（651 II柱書本文・②）、やむを得ない事由があるときは、損害の
賠償を要しない（651 II柱書但書）。

契約各論

❸ 請負・委任・寄託

委任契約の当事者の一方による解除は、将来に向かってのみその効力を生ずる。

委任契約は、当事者のいずれかが後見開始の審判を受けた場合には、終了する。

委任契約において受任者が委任事務の処理のため過失なくして損害を被った場合、委任者は、無過失であっても、受任者に対する損害賠償の責任を負う。

寄託

寄託は、受寄者が目的物を受け取ることによって、その効力を生ずる。

寄託契約における受寄者の目的物返還債務に期限の定めがない場合、寄託者は、いつでも、目的物の返還を請求することができ、その請求があったときは、受寄者は、直ちに目的物を返還しなければならない。

○ 105

委任の解除は、将来に向かってのみその効力を生ずる（652・620本文）。

✕ 106

受任者が後見開始の審判を受けた場合、委任は終了するが（653③）、委任者が後見開始の審判を受けた場合であっても、委任は終了しない（653③参照）。

○ 107

受任者が委任事務を処理するため自己に過失なくして損害を受けたときは、委任者に対してその賠償を請求することができる（650Ⅲ）。この委任者の損害賠償責任は、委任によって受任者に損害を被らせないとする趣旨であることから、無過失責任とされている。

✕ 108

寄託は、当事者の一方がある物を保管することを相手方に委託し、相手方がこれを承諾することによって、その効力を生ずる（657）、諾成契約である。

○ 109

寄託契約においては、返還の時期の定めの有無にかかわらず、寄託者はいつでも寄託物の返還を請求でき、その場合受寄者は直ちに返還する必要がある（662Ⅰ）。

目的物の返還の時期の定めがある場合には、寄託の寄託者は、期限が到来した時からその返還の請求をすることができる。

目的物の返還の時期の定めがない場合には、寄託の受寄者は、いつでもその返還をすることができる。

目的物の返還の時期の定めがある場合には、寄託の受寄者は、いつでもその返還をすることができる。

× **110**

寄託契約の場合、当事者が寄託物の返還の時期を定めたときであっても、寄託者は、いつでもその返還を請求することができる（662 I）。

○ **111**

寄託契約の場合に当事者が寄託物の返還の時期を定めなかったときは、受寄者は、いつでもその返還をすることができる（663 I）。

× **112**

寄託契約の場合、返還の時期の定めがあるときは、受寄者は、やむを得ない事由がなければ、その期限前に返還することができない（663 II）。

契約各論

❸ 請負・委任・寄託

④ 組合契約

113 □□□ 平26-19-ア

組合契約は、各当事者が組合のために労務を提供して共同の事業を営むことを約することによっても、成立する。

114 □□□ 令6-19-イ

組合員は、他の組合員が組合契約に基づく債務の履行をしないことを理由として、組合契約を解除することができない。

115 □□□ 平11-1-オ

民法上の組合は、営利（剰余金の分配）を目的としない。

116 □□□ 平11-1-ア

民法上の組合においては、組合員が組合に拠出した不動産は、組合の名義で登記をすることができる。

117 □□□ 平11-1-ウ

民法上の組合の債権者は、その債権に基づき、組合員の個人財産を差し押さえることはできない。

118 □□□ 平26-19-エ

組合の債権者は、その債権の発生の時に組合員の損失分担の割合を知らなかったときは、一人の組合員に対して債務の全部の履行を請求することができる。

LEC 司法書士

根本正次のリアル実況中継 司法書士合格ゾーン
テキストの重要部分をより深く理解できる講座が登場！

一発合格者輩出

1回15分だから続けやすい！

スマホで［司法書士］
S式合格講座

49,500円〜

15分1ユニット制・圧倒的低価格

特徴 1

書籍を持ち歩かなくても、スマホでできる学習スタイル

本講座は、忙しい方でもスマホで効率的に勉強ができるように、
1ユニット15分制。書籍を読むだけよりも理解度が高まる！

担当

森山和正
LEC専任講師

佐々木ひろみ
LEC専任講師

根本正次
LEC専任講師

特徴 2

始めやすい低価格　［4万9500円〜］

皆様の手にとってもらえるように、通学実施に
よる教室使用費、テキストの製本印刷費、DVD制作
費などをなくして、できる限り経費を抑えること
でこれまでにない低価格を実現

▶ 講座詳細はこちら

LEC 東京リーガルマインド

お電話での申込み・講座のお問合せ
LECコールセンター

0570-064-464

※このナビダイヤルは通話料はお客様でご負担になります。
※固定電話・携帯電話共通一般のPHS・IP電話からのご利用可能。
※国際IP電話で接続している場合はつながらないことがありますので、あらかじめご了承ください。

www.lec-jp.com

〒164-0001東京都中野区中野4-11-10
平日 9:30〜19:30　土・日・祝 10:00〜18:00

この広告掲載時期及び日程などの内容でも事前の告知なしに変更される場合があります。予めご了承ください。発行日 2024年8月1日／有効期限 2025年6月30日
著作権者等 株式会社東京リーガルマインド ⓒ 2024 TOKYO LEGAL MIND K.K. Printed in Japan 無断複製・無断転載を禁じます。

SV2407013

LEC司法書士

最新情報を
キャッチ! 公式 **SNS**

LEC司法書士公式アカウントでは、
最新の司法書士試験情報やお知らせ、イベント情報など、
司法書士試験に関する様々なお役立ちコンテンツを発信していきます。
ぜひチャンネル登録＆フォローをよろしくお願いします。

● 公式 **X** (旧Twitter)
https://twitter.com/LECshihoushoshi ▶

● 公式 **YouTube**チャンネル
https://www.youtube.com/@LEC-shoshi ▶

● **Note**
https://note.com/lec_shoshi ▶

○ **113**

組合契約は、各当事者が出資をして共同の事業を営むことを約することによって、その効力を生ずる（667Ⅰ）。そして、出資の目的として労務を提供することができる（667Ⅱ）。

○ **114**

組合員は、他の組合員が組合契約に基づく債務の履行をしないことを理由として、組合契約を解除することができない（667の2Ⅱ）。

× **115**

組合については、目的による制限はなく、営利を目的とするものでもよい。

× **116**

組合は法人格を有しないので、組合の名義で登記することはできない。

× **117**

組合員も組合債務について一定の割合で責任を負い、組合の債権者は組合員の個人財産を差し押さえることができる（675）。

× **118**

組合の債権者は、その選択に従い、各組合員に対して損失分担の割合又は等しい割合でその権利を行使することができる。ただし、組合の債権者がその債権の発生の時に各組合員の損失分担の割合を知っていたときは、その割合による（675Ⅱ）。

契約各論

❹ 組合契約

119 ☐☐☐   平18-20-ア

A、B及びCが組合契約を締結した。組合財産である建物について無権利者であるDの名義で所有権の保存の登記がされている場合、Aは、単独で、Dに対して登記の抹消を求めることはできない。

120 ☐☐☐   令6-19-ア

組合の業務の決定は、業務執行者があるときであっても、組合員の過半数をもってする。

121 ☐☐☐   平26-19-イ

組合の常務については各組合員が単独で行うことができるが、その完了前に他の組合員が異議を述べたときは、その常務については組合員全員の一致によって決定しなければならない。

122 ☐☐☐   平18-20-イ（平26-19-ウ）

A、B及びCが組合契約を締結した。組合契約により業務執行組合員が定められていない場合、A及びBのみで組合を代理してEとの間で組合財産に関する売買契約を有効に締結することができる。

123 ☐☐☐   平18-20-ウ

A、B及びCが組合契約を締結した。組合契約において、A及びBは常に組合に生じた損失を分担するが、Cはいかなる場合にも組合に生じた損失を分担しない旨の内部負担の約定をした場合、その約定は、無効である。

× **119**

無権利者に対する登記の抹消請求は、保存行為に当たる。そして、組合財産は組合員の共有に属する（668）ので、各組合員は、保存行為を単独で行うことができる（252V、最判昭33.7.22）。

× **120**

業務の決定・執行の委任を受けた者（業務執行者）がいる場合には、業務執行者が組合の業務を決定し、これを執行する（670Ⅲ前段・Ⅱ）。

× **121**

組合の常務は、各組合員が単独で行うことができる（670V本文）。ただし、その完了前に他の組合員が異議を述べたときは、その常務については、一般原則に従って組合員の過半数で決定しなければならない（670V但書・Ⅰ）。

○ **122**

組合契約その他により業務執行組合員が定められていないときは、組合員の過半数の者は、共同して組合を代理することができる（最判昭35.12.9）。

× **123**

損益分担の割合は、当事者が定めることができる（674Ⅰ）。そして、一部の組合員が損失を分担しないことを定める契約も許される（大判明44.12.26）。

124 ☐☐☐ 平18-20-オ

A、B及びCが組合契約を締結した。Fが組合に対して有する債権をAが譲り受けた場合、当該債権に係る組合の債務についてのAの持分相当額について混同は生ぜず、Aは、Fから譲り受けた債権全額について組合に請求することができる。

125 ☐☐☐ 令6-19-オ

組合の成立後に加入した組合員は、その加入前に生じた組合の債務を弁済する責任を負う。

126 ☐☐☐ 平26-19-オ

除名された組合員は、組合財産の持分の払戻しを受けることができない。

○ **124**

組合債務は、各組合員が個人的に責任を負う。しかし、組合員の一人が組合に対する第三者の債権を譲り受けても、混同による債権の消滅は生じない（大判昭11.2.25）。

× **125**

組合の成立後に加入した組合員は、その加入前に生じた組合の債務については、これを弁済する責任を負わない（677の2Ⅱ）。

× **126**

除名も脱退事由の一つである（679④）。そして、脱退した組合員は、持分の払戻しをすることができる（681）。

契約各論

❹ 組合契約

第7編
事務管理・不法行為

❶ 事務管理

事務管理

001 ☐☐☐ 　　　　　　　　　　　　　　　　平24-19-1

事務管理を始めた者は、本人の意思を知っている場合であっても、その意思に従うよりも本人の利益に適合する方法があるときは、その方法によって事務管理をしなければならない。

002 ☐☐☐ 　　　　　　　　　　　　　　　　平24-19-5

事務管理を始めた者は、本人の請求がある場合には、いつでも事務管理の状況を報告しなければならない。

003 ☐☐☐ 　　　　　　　　　　　　　　　　平24-19-2

本人の身体、名誉又は財産に対する急迫の危害を免れさせるために事務管理をした場合には、事務管理を始めた者は、悪意があるときを除き、これによって生じた損害を賠償する責任を負わない。

004 ☐☐☐ 　　　　　　　　　　　　　　　　令4-19-ア

管理者は、本人が既に知っている場合を除き、事務管理を始めたことを遅滞なく本人に通知しなければならない。

005 ☐☐☐ 　　　　　　　　　　　　　　　　令4-19-エ

管理者は、いつでも事務管理を中止することができる。

×　001

事務管理者は、本人の意思を知っているとき、又はこれを推知することができるときは、その意思に従って事務管理をしなければならない（697Ⅱ）。

○　002

事務管理者は、本人の請求がある場合には、いつでも事務管理の状況を報告しなければならない（701・645）。

×　003

事務管理者は、本人の身体、名誉又は財産に対する急迫の危害を免れさせるために事務管理をしたときは、悪意又は重大な過失があるのでなければ、これによって生じた損害を賠償する責任を負わない（698）。

○　004

管理者は、本人が既に知っている場合を除き、事務管理を始めたことを遅滞なく本人に通知しなければならない（699）。

×　005

管理者は、事務管理の継続が本人の意思に反し、又は本人に不利であることが明らかであるときを除き、本人又はその相続人若しくは法定代理人が管理をすることができるに至るまで、事務管理を継続しなければならない（700）。

事務管理・不法行為

❶ 事務管理

事務管理を始めた者は、本人のために有益な費用を支出した場合
であっても、その事務管理が本人の意思に反するものであるとき
は、本人に対し、その費用の償還を請求することができない。

Aを受任者とする委任契約をAB間で締結した場合と、CがDのた
めに事務管理をした場合に関して、Aは委任契約終了後、遅滞な
くBに事務処理の結果を報告しなければならないが、Cは事務管
理を終了しても、Dの請求がない限り事務管理の結果の報告義務
を負わない。

Aを受任者とする委任契約をAB間で締結した場合と、CがDのた
めに事務管理をした場合に関して、Aは事務処理をするに当たって
受け取った金銭をBに引き渡す義務を負うが、CはDに対してその
ような義務を負わない。

Aを受任者とする委任契約をAB間で締結した場合と、CがDのた
めに事務管理をした場合に関して、AはBに対し事務処理に要する
費用の前払請求権を有しているのに対し、CはDに対しそのような
請求権を有していない。

Aを受任者とする委任契約をAB間で締結した場合と、CがDのた
めに事務管理をした場合に関して、AはBに対し、事務を処理する
ため過失なくして受けた損害の賠償を請求することができるが、C
はDに対してそのような請求はできない。

事務管理・不法行為

❶ 事務管理

× **006**

事務管理者が、本人の意思に反して事務管理をしたときは、本人が現に利益を受けている限度においてのみ、本人に対し、有益費の償還を請求することができる（702Ⅲ）。

× **007**

受任者は、委任者に対して報告義務を負い、委任の終了後遅滞なくその経過及び結果を報告しなければならない（645）。事務管理においてもこの規定は準用されている（701・645）ので、事務管理者も遅滞なく報告しなければならない。

× **008**

受任者の受取物の引渡義務（646Ⅰ）も、事務管理に準用されている（701・646Ⅰ）。

○ **009**

受任者には費用の前払請求権（649）が認められているのに対して、事務管理者には費用の前払請求権は認められていない（701による649の不準用）。

○ **010**

受任者は委任者に対して委任事務を処理するため過失なくして受けた損害の賠償を請求することができるが（650Ⅲ）、事務管理者は本人に対してそのような請求をすることができない（701による650Ⅲの不準用）。

❷ 不法行為

不法行為

011 ☐☐☐

悪意の受益者は、その受けた利益に利息を付して返還しても損失
者になお損害がある場合には、不法行為の要件を充足していない
ときであっても、その賠償の責任を負う。

012 ☐☐☐
平22-19-エ

Aが開設する病院で勤務医Bの診療上の過失により患者Cが死亡
したという事例において、唯一の相続人であるCの子Dは、不法行
為に基づく損害賠償の請求においては自己の固有の慰謝料も請求
することができる。

013 ☐☐☐
平4-1-3

債務不履行による損害賠償の方法は金銭賠償に限られるが、不法
行為による損害賠償の方法は金銭に限られない。

014 ☐☐☐
平4-1-4

裁判所は債務不履行及び不法行為のいずれの損害賠償においても、
責任の有無及び損害賠償の額を算定するには、債権者又は被害者
の過失を考慮しなければならない。

× **011**

悪意の受益者は、不法行為の要件を充足する限りにおいて、不法行為責任を負う（最判平21.11.9）。

○ **012**

生命侵害の不法行為に基づく損害賠償の請求においては、被害者の子は、自己の固有の慰謝料も請求することができる（711）。

× **013**

いずれの場合にも、損害賠償の方法は、損害を金銭に評価してその額を支払うという金銭賠償の原則が採られているが（417・722Ⅰ）、不法行為の場合には例外として名誉毀損の場合における原状回復が認められており（723）、また、債務不履行の場合にも、「別段の意思表示」があれば金銭以外によっても定め得る。

× **014**

債務不履行の場合、裁判所は、責任の有無及び損害賠償の額の算定につき、債権者の過失を考慮しなければならない（418）のに対して、不法行為の場合、裁判所は、損害賠償の額の算定につき、被害者の過失を考慮することができるにすぎない（722Ⅱ）。

事務管理・不法行為

❷ 不法行為

債務不履行及び不法行為いずれの損害賠償についても、債務者又は加害者は常に不可抗力を主張して、その責任を免れることができる。

交通事故の被害者の後遺障害による財産上の損害賠償額の算定については、その後に被害者が第二の交通事故により死亡した場合には、就労可能期間の算定上その死亡の事実を考慮すべきではない。

交通事故により死亡した者の相続人に対して給付された生命保険金は、その死亡による損害賠償額から控除すべきではない。

交通事故により死亡した幼児の財産上の損害賠償額の算定については、幼児の損害賠償債権を相続した者が幼児の養育費の支出を必要としなくなった場合には、将来得べかりし収入額から養育費を控除することができる。

交通事故により介護を要する状態となった被害者がその後に別の原因により死亡した場合でも、その相続人は、死亡後も平均余命に至る期間までの介護費用の賠償を請求することができる。

金銭債務の不履行の場合、金銭の万能的作用とその極度の融通性・普遍性から、債務者は不可抗力を主張して責任を免れることはできない（419Ⅲ）。一方、不法行為の場合は、被害者保護の見地から無過失責任が定められている場合がある（717等）。

◯ **016**

交通事故の被害者の後遺障害による財産上の損害賠償額（逸失利益）の算定については、その後に被害者が第二の交通事故により死亡した場合でも、特段の事情がない限り、就労可能期間の算定上その死亡の事実を考慮すべきではない（最判平8.4.25）。

◯ **017**

生命保険金は、不法行為による死亡に基づく損害賠償額から控除すべきではない（最判昭39.9.25）。

✕ **018**

交通事故により死亡した幼児の損害賠償債権を相続した者が、一方で幼児の養育費の支出を必要としなくなった場合においても、右養育費と幼児の将来得べかりし収入との間には、損害額から利得を控除する損益相殺の法理又はその類推適用により控除すべき損失と利得との同一性がなく、控除すべきではない（最判昭53.10.20）。

✕ **019**

交通事故により介護を要する状態となった被害者がその後に別の原因により死亡した場合には、その相続人は、死亡後に要したであろう介護費用を当該交通事故による損害として請求することはできない（最判平11.12.20）。

事務管理・不法行為

❷ 不法行為

債務不履行による損害賠償の範囲は、債務不履行により通常生ず
べき損害に限られないが、不法行為による損害賠償の範囲は、不
法行為により通常生ずべき損害に限られる。

Aが開設する病院で勤務医Bの診療上の過失により患者Cが死亡
したという事例において、唯一の相続人であるCの子Dは、勤務医
Bに対して、不法行為に基づく損害賠償を請求することはできる
が、債務不履行に基づく損害賠償を請求することはできない。

加害者は、不法行為に基づく損害賠償の請求を受けた時から、遅
延損害金の支払義務を負う。

不法行為に基づく損害賠償請求権は、不法行為の時から3年で時
効により消滅する。

020

債務不履行による損害賠償の範囲は、原則として、当該債務不履行によって現実に生じた損害のうち特有な損害を除いた、社会的にみて相当といえる因果関係の範囲に限られる（416Ⅰ）。ただし、特別の事情によって生じた損害についても、当事者において予見すべきであったときには損害賠償の範囲に含まれる（416Ⅱ）。そして、不法行為に基づく損害賠償の範囲については民法上規定はないが、判例は、416条が類推適用されるとしている（大連判大15.5.22、最判昭48.6.7）。

DはCに治療行為をしたBに対して不法行為に基づく損害賠償を請求することはできる（709）が、DとBは契約当事者ではないので、債務不履行責任を追及することはできない。

不法行為に基づく損害賠償債務は、請求がなくても損害の発生と同時に遅滞に陥る（最判昭37.9.4）。

不法行為に基づく損害賠償請求権は、被害者又はその法定代理人が損害及び加害者を知った時から3年、又は不法行為の時から20年行使しないときは、時効によって消滅する（724）。

事務管理・不法行為

❷ 不法行為

024 ▢▢▢ 平31-19-ア（平3-6-1）

民法第714条第1項所定の法定の監督義務者の責任に関して、不法行為をした未成年者が責任を弁識する知能を備えている場合であっても、その未成年者の監督義務者が監督義務を果たさなかったことと損害との間に相当因果関係が認められるときは、監督義務者は民法第714条第1項に基づく責任を負う。

025 ▢▢▢ 平31-19-イ（平16-20-エ）

民法第714条第1項所定の法定の監督義務者の責任に関して、責任を弁識する知能を備えていない未成年者の行為により火災が発生した場合には、失火ノ責任ニ関スル法律にいう「重大ナル過失」の有無は未成年者の監督義務者の監督について考慮され、監督義務者は、その監督について重大な過失がなかったときは、当該火災により生じた損害を賠償する責任を免れる。

026 ▢▢▢ 平31-19-オ

民法第714条第1項所定の法定の監督義務者の責任に関して、夫婦の一方が認知症により責任を弁識する能力を有しないときは、同居する配偶者は、民法第714条第1項所定の法定の監督義務者に当たる。

027 ▢▢▢ 平16-20-ア

共同不法行為により損害を被った被害者が共同不法行為者の一人に対して損害賠償債務を免除した場合には、その者の負担部分の限度で、他の共同不法行為者も、被害者に対して免除の効力を主張することができる。

× 024

未成年者が責任能力を有する場合、監督義務者は714条1項に基づく責任を負わないが、監督義務者の義務違反と当該未成年者の不法行為によって生じた結果との間に相当因果関係を認めることができるときは、監督義務者は709条に基づく不法行為による損害賠償責任を負う（最判昭49.3.22）。

○ 025

失火の責任に関する法律にいう重大な過失の有無は、未成年者の監督義務者の監督について考慮され、当該監督義務者は、その監督について重大な過失がなかったときは、その火災により生じた損害を賠償する責任を免れる（最判平7.1.24）。

× 026

精神障害者と同居する配偶者であるからといって、その者が714条1項にいう「責任無能力者を監督する法定の義務を負う者」に当たるとすることはできない（最判平28.3.1）。

× 027

共同不法行為者は、連帯して損害賠償責任を負う（719I前段）。すなわち、共同不法行為者の損害賠償債務は、連帯債務である。そして連帯債務者の一人について生じた事由は、原則として、更改・相殺等・混同を除き、他の連帯債務者に対してその効力を生じない（438・439I・440・441）。

事務管理・不法行為

❷ 不法行為

028 ☐☐☐

交通事故によって傷害を負った患者が搬入された病院において適切な治療が行われなかったことにより死亡した場合において、遺族から死亡の結果により生じた損害の賠償を求められた医師は、交通事故の発生について患者に過失があったときは、過失相殺による賠償額の減額を主張することができる。

029 ☐☐☐

二人の使用者との間に使用関係がある加害者が、両使用者の事業の執行について第三者に損害を加えた場合には、使用者責任に基づいてすべての損害の賠償をした一方の使用者は、加害者に対して求償することができるが、他方の使用者に対して求償することはできない。

× 028

交通事故と医療事故とが共同不法行為に当たる場合において、過失相殺は、各不法行為の加害者と被害者の過失の割合に応じてすべきものであり、他の不法行為者との間における過失の割合を考慮して過失相殺をすることはできない（最判平13.3.13）。

× 029

加害者を指揮監督する複数の使用者が使用者責任を負う場合において、使用者の一方は、自己の負担部分を超えて損害を賠償したときは、他方の使用者に対し、その負担部分の限度で求償することができる（715Ⅰ本文・442Ⅰ、最判平3.10.25）。また、加害者である被用者に対しても信義則上相当と認められる限度で求償することができる（715Ⅲ、最判昭51.7.8）。

事務管理・不法行為

❷ 不法行為

第8編

親族法

1 婚姻

婚姻の成立

001 □□□ 　　　　　　　　　平23-21-オ（平13-19-1）

Ａ（女性）と婚姻しているＢ（男性）が、更にＣ（女性）との婚姻の届出をした場合には、これが受理されたとしても、ＢとＣとの婚姻は、無効である。

002 □□□ 　　　　　　　　　　　　　　　平13-19-1

離婚後に再婚をしたが、離婚が無効であるときは、再婚は、無効であるので、取り消すことができない。

003 □□□ 　　　　　　　　　　　　　　　平23-21-ア

Ａの養子Ｂ（女性）とＡの弟Ｃは、婚姻をすることができる。

004 □□□ 　　　　　　　　　　　　　　　平23-21-イ

Ａ（女性）には嫡出でない子Ｂ（女性）がいるところ、ＡがＣ（男性）と婚姻し、その後離婚した場合、ＢとＣは、婚姻をすることができる。

× 001

配偶者のある者は、重ねて婚姻することができない（732）。そして、732条の規定に違反した婚姻は、その取消しを家庭裁判所に請求することができる（744）。したがって、BとCの婚姻が当然に無効となるわけではない。

× 002

離婚後に再婚をしたが、離婚が無効であるときは、その再婚は、取り消すことができる（744Ⅰ・732）。離婚が無効であるときは、婚姻関係が継続していたことになり、その結果、その離婚後の再婚は、重婚（732）となる。しかし、民法は、重婚を無効とするのではなく、取消原因（744Ⅰ）にとどめている。

○ 003

直系血族又は3親等内の傍系血族の間では、婚姻をすることはできない（734Ⅰ本文）。ただし、養子と養方の傍系血族との間で婚姻することは可能である（734Ⅰ但書）。

× 004

直系姻族の間では、婚姻することはできず、これは離婚の規定により姻族関係が終了した後も、同様である（735）。したがって、BとCは、婚姻することはできない。

005 ☐☐☐   平15-21-ア

養親と養子の直系卑属は、離縁によって親族関係が消滅した後で
あれば、婚姻をすることができる。

006 ☐☐☐   平10-19-オ（平2-12-4）

普通養子は、離縁の前後にかかわらず、養親の兄弟と婚姻するこ
とができる。

007 ☐☐☐   平3-12-3（令3-20-ア）

婚姻適齢に達していない者の婚姻は無効であり、婚姻適齢に達し
た時に有効となる。

008 ☐☐☐   平22-20-ア（令3-20-ウ）

成年被後見人が婚姻をするためには、成年後見人の同意を得る必
要はない。

009 ☐☐☐   平25-20-エ（平3-9-ア）

婚姻の届出自体について当事者間に意思の合致があったとしても、
単に子に嫡出子としての地位を得させるための便法として仮託さ
れたものにすぎないものであって、当事者間に真に夫婦関係の設
定を欲する効果意思がない場合には、当該婚姻は、その効力を生
じない。

× **005**

養子、その配偶者、直系卑属又はその配偶者と養親又はその直系尊属との間では、離縁によって親族関係が終了した後でも、婚姻をすることができない（736）。

○ **006**

普通養子と養親の兄弟とは、縁組の継続中も離縁をした後も、婚姻をすることができる（734Ⅰ但書）。

× **007**

婚姻適齢に達していない者の婚姻も無効ではなく、取消原因にすぎない（744Ⅰ・731）。なお、取消権の消滅に関する745条参照のこと。

○ **008**

成年被後見人が婚姻するには、成年後見人の同意を要しない（738）。

○ **009**

婚姻の届出自体については当事者間に意思の合致があっても、それが単に子に嫡出子としての地位を得させるための便法として仮託されたものにすぎないときは、婚姻は効力を生じない（最判昭44.10.31）。

Ａ男とＢ女について婚姻の届出がされている場合、Ａ男がＢ女に無断で婚姻届を提出した場合には、婚姻届の際に両者が事実上の内縁関係にあり、その後も夫婦としての生活を継続し、Ｂ女が婚姻の届出がされたことを容認したとしても、Ａ男とＢ女の婚姻が有効になることはない。

婚姻の意思に基づき届出書を作成したが、届出の時には当事者が意識を喪失し、その後死亡した場合には、その婚姻は無効である。

婚姻の効力

夫婦は、婚姻の届出後に法定財産制と異なる契約をし、その登記をすれば、これを夫婦の承継人及び第三者に対抗することができる。

夫婦の一方は、婚姻が破綻して配偶者及び子と別居しているときは、子の養育費を分担する義務を負うが、配偶者の生活費を分担する義務を負わない。

✕ **010**

事実上の夫婦の一方が他方の意思に基づかないで婚姻届を作成し、提出した場合においても、婚姻は他方の配偶者の追認により届出の当初にさかのぼって有効となる（最判昭47.7.25）。

✕ **011**

判例は、本肢のような場合は、届出書受理前に死亡した場合と異なり、届出書受理以前に翻意するなど婚姻意思を失う特段の事情がない限り、右届出書の受理によって、本件婚姻は有効に成立したものと解すべきだとする（最判昭44.4.3）。

✕ **012**

夫婦が法定財産制と異なる契約をしたときは、婚姻の届出までにその登記をしなければ、これを夫婦の承継人及び第三者に対抗することができない（756）。756条の「婚姻の届出まで」とは、婚姻届出前か、少なくとも届出と同時である必要がある。

✕ **013**

夫婦は、その資産、収入その他一切の事情を考慮して、婚姻から生ずる費用を分担する（760）。この点、760条の婚姻費用には、婚姻当事者の生活費や子の養育費が含まれる。そして、婚姻が事実上破綻し別居状態に入ったとしても、原則として、婚姻が継続している限り婚姻費用分担義務は解消しない。

014 ☐☐☐ 　　　　　　　　　　　　　平30-20-エ（平6-4-ウ）

夫婦の一方は、夫婦の日常の家事に関する法律行為について、配偶者による代理権の授与がなくても、配偶者を代理してその法律行為をする権限を有する。

015 ☐☐☐ 　　　　　　　　　　　　　　　　　平30-20-ウ

夫婦の一方が相続によって取得した財産であっても、婚姻中に取得したものであれば、夫婦の共有に属するものと推定される。

婚姻の解消

016 ☐☐☐ 　　　　　　　　　　　　　　　　　平3-12-5

婚姻したが、詐欺されたものなので取り消した場合、その取消しの効力は既往に及ばない。

017 ☐☐☐ 　　　　　　　　　　　　　　　　　平13-19-2

強迫による婚姻は、当事者が強迫を免れた後、3か月を経過したときは、取り消すことができない。

○ 014

761条は、その実質においては、夫婦は相互に日常の家事に関する法律行為につき他方を代理する権限を有することをも規定しているといえる（最判昭44.12.18）。

× 015

夫婦の一方が婚姻前から有する財産及び婚姻中自己の名で得た財産は、その特有財産（夫婦の一方が単独で有する財産をいう。）となる（762Ⅰ）。なお、夫婦のいずれに属するか明らかでない財産は、その共有に属するものと推定される（762Ⅱ）。

○ 016

詐欺により婚姻した場合、当該婚姻の取消しを家庭裁判所に請求することができる（747Ⅰ）が、その取消しは、将来に向かってのみその効力を生ずる（748Ⅰ）。身分関係の特殊性に基づくものである。

○ 017

強迫によって婚姻をした者は、その婚姻を取り消すことができるが（747Ⅰ）、強迫による婚姻の取消権は、当事者が強迫を免れた後、3か月を経過することによって消滅し（747Ⅱ）、その後は取り消すことができない。

ＡとＢの婚姻中に、ＢとＣが婚姻した場合、Ａ及びＣは、後婚の取消しを請求することができるが、Ｂは請求することはできない。

婚姻適齢の規定に違反した婚姻は、その不適齢者も、婚姻適齢に達した後は、取り消すことができない。

強迫による婚姻の取消しは、婚姻時に遡って、その効力を生ずる。

夫婦の一方は、夫婦間でした契約であっても、婚姻が実質的に破綻した後は、夫婦間でしたものであることを理由として取り消すことができない。

夫婦の一方の死亡によって婚姻が解消した場合において、生存配偶者が婚姻前の氏に復したときは、死亡した配偶者の血族との姻族関係は終了する。

× **018**

重婚の取消権者は、後婚の各当事者、その親族又は検察官及び前婚の配偶者である（744・732）。本肢のBは、当事者であるから、婚姻の取消しを家庭裁判所に請求することができる。

× **019**

婚姻適齢の規定（731）に違反した婚姻は、当事者が婚姻適齢に達すると、もはや取り消すことができなくなる（745Ⅰ）が、不適齢者自身は、適齢に達した後も、追認をしない限り、なお3か月は取り消すことができる（745Ⅱ）。

× **020**

強迫によって婚姻をした者は、その婚姻の取消しを家庭裁判所に請求することができる（747Ⅰ）。そして、婚姻の取消しは、将来に向かってのみその効力を生ずる（748Ⅰ）。

○ **021**

婚姻が実質的に破綻している場合には、それが形式的に継続しているとしても、754条の規定により、夫婦間の契約を取り消すことは許されない（最判昭42.2.2）。

× **022**

夫婦の一方の死亡によって婚姻が解消した場合、生存配偶者は婚姻前の氏に復することができる（751Ⅰ）が、復氏をしたからといって当然に死亡した配偶者の血族との姻族関係が終了するものではない。姻族関係が終了するには、生存配偶者が姻族関係を終了させる意思を表示する必要がある（728）。

婚姻によって氏を改めた夫は、妻の死亡によって婚姻前の氏に復するが、その死亡の日から3か月以内に届け出ることによって、死別の際に称していた妻の氏を続称することができる。

夫婦が事実上の婚姻関係を継続しつつ、生活扶助を受けるための方便として協議離婚の届出をした場合には、その届出が真に法律上の婚姻関係を解消する意思の合致に基づいてされたものであっても、当該協議離婚は、その効力を生じない。

配偶者が後見開始の審判を受けた場合には、他方配偶者は、後見監督人との間で、協議離婚をすることができる。

夫婦の一方が他方に無断で協議離婚の届出をした場合には、その後に当該夫婦の他方から当該協議離婚の届出につき追認の意思表示がされたときであっても、当該協議離婚が有効になることはない。

× **023**

配偶者の死亡によって婚姻関係が解消した場合、当然に復氏する
ものではなく、生存配偶者の選択により復氏することができるに
すぎない（751Ⅰ）。

× **024**

法律上真に離婚の意思によって離婚届をすべきものと認めるのが
社会の通念であるから（最判昭38.11.28・形式的意思説）、生
活扶助を受けるための方便として離婚の届出をした場合でも、離
婚の効力は生じる（最判昭57.3.26）。

× **025**

成年被後見人は、通常、意思能力を喪失しているので、この場合
には協議離婚をすることができない。しかし、時には、その本心
に復することもあり、この場合、成年被後見人は、成年後見人（成
年後見監督人）の同意を要せず、単独で協議離婚をすることがで
きる。

× **026**

無効な離婚の届出がなされた場合でも、その後当事者の離婚意思
が合致した場合には、当事者の明示又は黙示の意思表示によって、
その届出を有効なものとすることができる（最判昭42.12.8・無
効な離婚届の追認）。

離婚後に当事者の一方が再婚をしている場合において、離婚が詐欺又は強迫により取り消されたときは、取消しの効果は遡及し、重婚となる。

協議離婚が成立した後、協議離婚をした者の一方が第三者と婚姻し、その後に当該協議離婚が取り消された場合であっても、重婚であることを理由として後の婚姻の取消しを請求することはできない。

夫Aが妻以外の女性Cを強姦した場合、その性行為は、Cの自由な意思に基づくものではないが、Aの自由な意思に基づくものであるから、裁判上の離婚原因である不貞な行為があったときに当たる。

Aが、Bとの婚姻の届出と同時に、Bの前の配偶者との子Cと養子縁組の届出をしていたときは、AとBが離婚すると、A及びCの間の養子縁組は当然に解消される。

○ **027**

離婚が詐欺又は強迫によって取り消されたときは、一般原則に従いその効果は遡及する（121）。そのため、離婚後に当事者の一方が再婚をしている場合において、離婚が詐欺又は強迫によって取り消されたときは、前婚が引き続き継続していたことになり、重婚となる。

× **028**

配偶者のある者は、重ねて婚姻をすることができない（732）。この重婚が発生する場合としては、例えば離婚後再婚したが、前婚の離婚が無効だった場合や取り消された場合などがある。そして、重婚の禁止の規定に違反した場合には、婚姻取消しの対象となる（744）。

○ **029**

不貞行為とは、配偶者のある者が、自由意思に基づいて、配偶者以外の者と性的関係を結ぶことをいうのであって、相手方の自由な意思に基づくものか否かは問わない。そして、強姦は、貞操義務を負う配偶者に対する許し難い裏切り行為であり、不貞行為に該当する（最判昭48.11.15、770Ⅰ①）。

× **030**

婚姻の届出と同時に配偶者の子と養子縁組の届出をし、その後、夫婦間に離婚が成立した場合であっても、養子縁組の効果に影響はない。

031 □□□ 　　　　　　　　　　　　　　　　　　平29-20-ウ

ＡとＢは婚姻した際にＢの氏を称することとしたが、その後ＡとＢ
が離婚した場合には、Ａは、離婚の日から３か月以内であれば、戸
籍法の定めるところにより届け出ることによって、婚姻前の氏を称
することができる。

032 □□□ 　　　　　　　　　　　　　　　　　　平11-20-ア

Ａとの婚姻によって氏を改めたＢは、Ａと離婚をしたときは、戸籍
法の定めるところにより届け出ることによって、婚姻前の氏に復す
ることなくＡの氏を称することができる。

033 □□□ 　　　　　　　　　　　　　　　　　　令3-20-オ

未成年の子がある父母が当該子の親権者を定めないままに届け出
た離婚届が受理された場合には、当該離婚は有効である。

034 □□□ 　　　　　　　　　　　　　平16-21-ア（平24-22-オ）

離婚した夫婦の一方が婚姻費用を過当に負担していた場合であっ
ても、婚姻費用の清算は婚姻費用の分担請求を通じてすべきであ
り、裁判所は、財産分与に婚姻費用の清算のための給付を含める
ことはできない。

035 □□□ 　　　　　　　　　　　　　平16-21-ウ（平24-22-オ）

夫婦の一方の有責行為によって離婚を余儀なくされ、精神的苦痛
を被ったことを理由とする損害賠償請求権は、財産分与請求権と
は性質が異なるが、裁判所は、財産分与に当該損害賠償のための
給付を含めることができる。

× **031**

婚姻によって氏を改めた夫又は妻は、協議上の離婚によって婚姻前の氏に復する（767Ⅰ）。なお、婚姻前の氏に復した夫又は妻は、離婚の日から3か月以内に戸籍法の定めるところにより届け出ることによって、離婚の際に称していた氏を称することができる（767Ⅱ）。

× **032**

離婚の際に称していた氏を称する場合でも、いったん復氏した上で、届け出ることにより離婚の際に称していた氏を称することができるものであり（767Ⅱ・771）、婚姻前の氏に復することなく離婚の際に称していた氏を称することはできない。

○ **033**

協議離婚における親権者の指定は、父母の離婚の要件であり（819Ⅰ）、親権者の記載のない協議離婚届は受理されないが（765Ⅰ）、誤って受理されれば離婚は有効となる（765Ⅱ）。

× **034**

離婚した夫婦の一方が婚姻費用を過当に負担していた場合であっても、裁判所は、財産分与に婚姻費用の清算のための給付を含めることができる（最判昭53.11.14）。

○ **035**

夫婦の一方の有責行為によって離婚を余儀なくされ、精神的苦痛を被ったことを理由とする損害賠償請求権は、財産分与請求権とは異なるが、裁判所は、財産分与に当該損害賠償のための給付を含めることができる（最判昭46.7.23）。

036 ☐☐☐   平24-22-イ

財産分与について当事者間に協議が調わない場合には、当事者は、家庭裁判所に対して協議に代わる処分を請求することができるが、離婚の時から2年を経過したときは、この請求をすることができない。

内縁

037 ☐☐☐   平28-20-4

ＡＢ間で成立した内縁関係がＡにより正当な理由なく破棄されたためＢが精神的損害を被った場合でも、Ｂは、Ａに対し、不法行為に基づき損害賠償請求をすることはできない。

038 ☐☐☐   平28-20-3（平16-21-イ、平24-22-ア）

ＡＢ間で成立した内縁関係がＡの死亡により解消した場合には、Ｂは、Ａの相続人に対し、離婚に伴う財産分与に関する規定の類推適用に基づいて相続財産に属する財産の分与を請求することはできない。

◯ 036

離婚をした者の一方は、相手方に対して財産の分与を請求することができる（768Ⅰ・771）。この財産分与について、当事者間に協議が調わないとき、又は協議をすることができないときは、当事者は、家庭裁判所に対して協議に代わる処分を請求することができる（768Ⅱ本文・771）。ただし、離婚の時から2年を経過したときは、この限りでない（768Ⅱ但書・771）。

✕ 037

内縁を不当に破棄された者は、相手方に対し不法行為を理由として損害賠償を請求することができる（最判昭33.4.11）。

◯ 038

内縁当事者の一方は、他方当事者と死別した場合、離婚における財産分与の規定により、他方当事者の相続人に対して、財産分与を請求することはできない（最決平12.3.10）。

2 親子

実子

039 ☐☐☐   平18-21-ア

戸籍上の子との間の親子関係を夫が否定するための訴えには、嫡出否認の訴えと親子関係不存在確認の訴えがある。

040 ☐☐☐   平24-21-エ

婚姻の成立の日から250日後に子が生まれた場合において、当該婚姻がその後に夫の重婚を理由に取り消されたときであっても、夫が父子関係を否定するためには、嫡出否認の訴えによらなければならない。

041 ☐☐☐   平24-21-イ（平4-21-イ）

婚姻の成立の日から100日後であって、内縁関係の成立の日から250日後に生まれた子について、夫が父子関係を否定するためには、嫡出否認の訴えによらなければならない。

○ **039**

772条の規定により子の父が定められる場合において（嫡出推定）、父又は子は、子が嫡出であることを否認することができる（774Ⅰ）。この否認権は、嫡出否認の訴えによって行う（775Ⅰ①）。一方、772条2項の嫡出推定期間に出生したが、夫婦の別居等により夫の子たり得ないことが外観上明白な場合、嫡出推定が排除され、「推定の及ばない子」となる。この場合、親子関係を否定するためには、親子関係不存在確認の訴えによる。

○ **040**

婚姻の取消しは、取消し前の身分関係に影響を与えるものではないため（748Ⅰ）、婚姻成立後200日後に生まれた子は、重婚を原因として婚姻が取り消された後も依然として有効な婚姻により生まれた推定の及ぶ嫡出子のままであり（東京地判平9.10.31）、夫が父子関係を争うには、嫡出否認の訴えによることを要する。

○ **041**

内縁中に母が懐胎し、婚姻成立後に生まれた子は、母とその夫との嫡出子と推定される（772Ⅰ後段・Ⅱ）。したがって、母の夫は、嫡出否認の訴えによって父子関係を争うこととなる（775Ⅰ）。

042 ▢▢▢ 平9-18-エ（平14-19-ウ、平18-21-エ、平27-20-オ）

母について離婚の判決が確定した日から300日以内に出生した子
の嫡出性に争いがある場合、母の夫は、長期間の別居の後に離婚
したことが判決で認められているときであっても、父子関係不存在
確認の訴えを提起することができない。

043 ▢▢▢ 平24-21-ア

夫が婚姻後に刑務所に収容され、その1年後、いまだ夫が刑務所
に収容中に妻が懐胎した子について、夫が父子関係を否定するた
めには、嫡出否認の訴えによることを要しない。

044 ▢▢▢ 平31-20-1

父による嫡出否認の訴えは、子に親権を行う母がないときは、検
察官を被告として提起しなければならない。

045 ▢▢▢ 平24-21-オ（平27-20-エ）

父による嫡出否認の訴えは、子の出生の時から3年以内に提起し
なければならない。

046 ▢▢▢ 平18-21-オ

夫婦の婚姻関係が円満に継続していたときに懐胎・出生した子に
つき、当該子の出生後3年が経過した後に当該夫婦が離婚し、そ
の後に当該子が夫の子ではないことが夫に明らかになった。この場
合、夫は、親子関係不存在確認の訴えを提起することによって子
との父子関係を否定することができる。

× **042**

子の嫡出性（772Ⅱ）に争いがある場合、夫であった者は、長期間の別居の後に離婚したことが判決で認められているときは、父子関係不存在確認の訴えを提起することができる（最判昭44.5.29）。

○ **043**

妻が婚姻中に懐胎した子であっても、妻の生んだ子が夫の子ではあり得ない客観的事情がある場合は、推定の及ばない子であると解すべきである（最判昭44.5.29参照）。したがって、夫は、親子関係不存在確認の訴えによって父子関係を争うこととなる。

× **044**

子が意思能力を有しない場合の父による嫡出否認の訴えの相手方は、親権を行う母である（775Ⅰ①）が、親権を行う母がないときは、家庭裁判所に選任された特別代理人（775Ⅱ）が相手方となる。

× **045**

嫡出否認の訴えは、父が子の出生を知った時から3年以内に提起しなければならない（777①）。

× **046**

本肢の場合、当該子は「推定される嫡出子」であり、夫が親子関係を否定するためには、親子関係不存在確認の訴えではなく嫡出否認の訴えによる（774Ⅰ、775Ⅰ①）。そして、嫡出否認の訴えは、夫が子の出生を知った時から3年以内に提起しなければならないため（777①）、夫は嫡出否認の訴えを提起することはできない。

047 □□□　　　　　　　　　　　　　　　　　　平27-20-イ

嫡出でない子と父との間の法律上の親子関係は、認知によっては
じめて発生するものであるから、嫡出でない子は、認知によらない
で父との間の親子関係の存在確認の訴えを提起することはできな
い。

048 □□□　　　　　　　　　　　　　　　　　　平31-20-2

母と嫡出でない子との間の実親子関係は、母が認知をしなければ、
生じない。

049 □□□　　平16-24-ア（平12-20-イ、平25-21-イ、平31-4-エ）

未成年者が法定代理人の同意なくして認知をしたときは、その認
知は、無効である。

050 □□□　　　　　　　　　　　　　　　　　　平22-20-エ

成年被後見人である父親が意思能力を有していないときは、父親
の成年後見人が父親に代わって任意認知をすることができる。

051 □□□　　　　　　　　　　　　　　　　　　平25-21-ア

嫡出の推定に関する民法の規定により夫と子との間の父子関係が
推定される場合であっても、当該夫以外の男性と当該子との間に
血縁上の親子関係があるとさは、当該男性は、当該子を認知する
ことができる。

052 □□□　　　　　　　平30-21-ウ（平6-22-ア、平25-21-ウ）

成年の子を認知するためには、その承諾を得なければならない。

○ **047**

嫡出でない子は、認知によらずに父との間の親子関係の存在確認の訴えを提起することができない。なぜなら、嫡出でない子と父との間の法律上の親子関係は、認知によってはじめて発生するものであるからである（最判平2.7.19）。

× **048**

母と非嫡出子との間の親子関係は、原則として、母の認知を待たず、分娩の事実により当然に発生する（最判昭37.4.27）。

× **049**

認知をするには、父又は母が未成年者又は成年被後見人であるときであっても、その法定代理人の同意を要しない（780）。

× **050**

意思能力を有していない者が認知をすることはできない。また、認知は身分法上の法律行為であり、代理に親しまないため、制限能力者に代わってその法定代理人が認知をすることができない。

× **051**

嫡出でない子は、その父又は母がこれを認知することができる（779）。夫との間に嫡出の推定が及ぶ子については、嫡出否認がなされなければ認知をすることができない（最判昭44.5.29参照）。

○ **052**

成年の子は、その承諾がなければ、認知することができない（782）。

053 ▢▢▢　　　平16-24-エ（平25-21-エ、平30-21-ア）改題

父は、母の承諾を得ることにより、母の胎内に在る子を認知することができる。

054 ▢▢▢　　　　　　　　　　　　平9-22-3

A女は、婚姻関係にないB男との間に子Cをもうけたが、B男はCを認知していない。その後、A女はD男と婚姻し、D男との間に子Eをもうけた。Cが幼少の時に死亡した場合、B男は、A女の承諾を得れば、Cを認知することができる。

055 ▢▢▢　　　　　　　　　　　　平11-18-ア

父は胎児を認知することができるが、胎児は父に対して認知の訴えを提起することはできない。

056 ▢▢▢　　　　平12-20-オ（平16-24-オ、平27-20-ウ）

Aが婚姻関係にないBによって懐胎し、子Cを出産した。BがCを自分と婚姻関係にあるDとの間の嫡出子として出生の届出をした場合、その届出は、認知の届出としての効力を有する。

057 ▢▢▢　　　　　　　　　　　　平16-24-ウ

認知届が認知者の意思に基づくことなくされたとしても、認知者と被認知者との間に事実上の親子関係があるときは、その認知は、有効である。

058 ▢▢▢　　　　　　　平11-18-エ（平27-20-ア）

認知は、認知をした父が子の出生の時にさかのぼって効力を生ずる旨の別段の意思表示をしたときを除き、認知の時から効力を生ずる。

○ **053**

胎児を認知する場合、母の名誉利益を守り、認知の事実性を確保するために母の承諾を要する（783Ⅰ）。

✕ **054**

B男は、婚姻関係にないA女の生んだ子Cが幼少の時に死亡した場合には、A女の承諾があっても認知することはできない。なお、その子に直系卑属があるときにのみ認知が認められる（783Ⅲ前段）。

○ **055**

胎児は、出生するまでは権利能力を有しないので（3Ⅰ参照）、父に対して認知の訴えを提起することはできない。

○ **056**

父Bが自分と婚姻関係にないAとの間の非嫡出子Cを自分の妻Dとの間の嫡出子として出生の届出をした場合、その届出は、認知の届出としての効力を有する（最判昭53.2.24）。

✕ **057**

任意認知行為は、認知者と被認知者との間に自然血縁関係が存在するという客観的事実の表象を表示する行為からなる法律行為である。したがって、認知者の意思に基づかないときは、事実上の親子関係があるときでも、認知は無効となる（最判昭52.2.14）。

✕ **058**

認知は、認知をした父の別段の意思表示の有無にかかわらず、子の出生の時にさかのぼって効力を生ずる（784本文）。

059 □□□ 　　　　　　　　　　　　　　　　　平16-24-イ

認知は、遺言によってもすることができるが、その効力は、認知者の死亡時より前にさかのぼることはない。

060 □□□ 　　　　　　　　　　　　　　　　　平30-21-イ

認知された子は、その認知が真実に反することを理由として、認知無効の訴えを提起することができる。

061 □□□ 　　　　　　　　　　　　　　　　　平30-21-エ

血縁上の親子関係がない者を認知した者は、認知の時にそのことを知っていたときは、自らした認知の無効を主張することができない。

062 □□□ 　　　　　　　　　　　　　　　　　平11-18-オ

父の死亡の日から３年以内であれば、子又はその３親等内の親族は、認知の訴えを提起することができる。

063 □□□ 　　　　　　　平12-20-ア（平6-22-オ、平30-21-オ）

Aが婚姻関係にないBによって懐胎し、子Cを出産した。BがAと婚姻をした後にCを認知した場合、Cは、AとBの婚姻の時から嫡出子たる身分を取得する。

× **059**

認知は、出生の時にさかのぼってその効力を生じる（784）。本条は、遺言認知（781Ⅱ）の場合にも適用される。

○ **060**

子は、認知について反対の事実があることを理由として、認知の無効の訴えを提起することができる（786Ⅰ①）。そして、子は、認知無効の訴え（人訴2②）の原告適格を有する。

× **061**

認知をした者は、自らした認知の無効を主張することができる（786Ⅰ②）。そして、この理は、認知者が血縁上の父子関係がないことを知りながら認知をした場合においても異なるところはない（最判平26.1.14）。

× **062**

認知の訴えは、父が死亡した後であっても、死亡の日から3年以内であれば、検察官を被告として提起することができる（787但書、人訴42）。この訴えの提起権者は、子、その直系卑属又はこれらの者の法定代理人であって（787本文）、直系卑属以外の3親等内の親族は、認知の訴えを提起することはできない。

○ **063**

父Bが母Aと婚姻をした後に子Cを認知した場合（認知準正）、Cは、AとBの「婚姻の時」から嫡出子たる身分を取得する。そして、認知準正の効果は「婚姻の時」から生じるものとしている（昭42.3.8民甲373号）。

064 ☐☐☐   平5-19-ア（平18-22-1）

Aは、甲男と乙女の間の子である。Aの出生後に、甲乙の婚姻が成立したが、その後甲乙が離婚し、その離婚後に、甲がAを認知しても、Aは、嫡出子たる身分を取得しない。

065 ☐☐☐   平18-22-2

Aは、未婚のBが生んだAの子Cを認知した後にBと婚姻したが、その後、Bとの婚姻が取り消された。この場合、準正の効果は消滅する。

066 ☐☐☐   平18-22-4

Aは、未婚のBがAの子Cを生んだ後にBと婚姻し、その後にCを認知したが、認知の際に準正に反対の意思を表示した。この場合、準正の効果は生じない。

067 ☐☐☐   平13-20-エ（平19-22-イ）

真実の親子関係がない親から嫡出である子として出生の届出がされている場合、その出生の届出は無効であるが、その子は、15歳に達した後は、その出生の届出を縁組の届出として追認することができる。

068 ☐☐☐   平13-18-イ

嫡出である子は、その出生前に父母が離婚したときは、母の氏を称する。

× 064

離婚後の認知でも準正が生ずると解されている（昭25.12.4民甲3089号）。

× 065

婚姻準正が生じた後に婚姻が取り消された場合であっても、既にその婚姻に基づいて生じた準正の効果には何らの影響をも及ぼさない。取消しがあるまでは婚姻は有効であり、しかも、取消しの効果はさかのぼらない（748Ⅰ）からである。

× 066

準正の効果（789Ⅰ・Ⅱ）は、法律上当然に生じ、反対の意思表示をしてその効果の発生を妨げることはできない。

× 067

真実の親子関係がない親から嫡出である子として出生の届出がされている場合、その届出は無効であり、また、その届出を養子縁組の届出へ転換することも認められない（最判昭25.12.28、最判昭50.4.8）。したがって、その子は、15歳に達した後でも、その出生の届出を縁組の届出として追認できる余地はない。

× 068

嫡出である子は、その出生前に父母が離婚していたときであっても、離婚の際の父母の氏を称する（790Ⅰ但書）。

069 ☐☐☐   平11-20-オ（平23-20-ウ）

嫡出でない子Aの氏は、父Bに認知されると、母Cの氏から父Bの
氏に変更する。

070 ☐☐☐   平29-20-オ

AにはBとの間に生まれBから認知を受けた子Cがおり、CがAの
氏を称していた場合において、AがBとの婚姻によってBの氏を称
することとしたときは、Cは、AとBの婚姻によって当然にBの氏
を称する。

071 ☐☐☐   平29-20-ア（平8-18-イ）

AにはBとの間に生まれた嫡出でない子C（16歳）がおり、Cが
Aの氏を称していた場合において、AがDとの婚姻によってDの氏
を称することとしたときは、Cは、家庭裁判所の許可を得て、戸籍
法の定めるところにより届け出ることによって、Dの氏を称するこ
とができる。

養子

072 ☐☐☐   平19-22-ア（平24-20-エ）

養子縁組の届出自体について当事者間に意思の一致があった場合
には、真に養親子関係の設定を欲する効果意思がなくても、養子
縁組は、効力を生じる。

× **069**

嫡出でない子Aの氏は、母Cの氏を称し（790Ⅱ）、父Bに認知されても、母Cの氏から父Bの氏に変更しない。ただ、家庭裁判所の許可を得て父の氏に変更することができるにすぎない（791Ⅰ）。

× **070**

父が認知した子は、その父母の婚姻によって嫡出子の身分を取得する（789Ⅰ・婚姻準正）。そして、非嫡出子について婚姻準正が生じても、当然には子の氏は変更せず、母の氏を称していた非嫡出子が、婚姻中の父母の氏を称しようとする場合、791条2項の届出をすることが必要となる。

○ **071**

子が父又は母と氏を異にする場合には、子は、家庭裁判所の許可を得て、戸籍法の定めるところにより届け出ることによって、その父又は母の氏を称することができる（791Ⅰ）。

× **072**

養子縁組の成立には、縁組意思の合致が必要である（802①参照）。そして、ここにいう縁組意思とは、届出自体についての当事者間の意思の一致のみならず、真に養親子関係の設定を欲する効果意思の合致をいう（最判昭23.12.23）。

073 □□□

当事者間において養子縁組の合意が成立しており、かつ、当該当事者から他人に対し当該養子縁組の届出の委託がされていた場合であっても、届出が受理された当時、当該当事者が意識を失っていたときは、当該養子縁組は、効力を生じない。

074 □□□

妻の父親を養親とし、夫を養子とする養子縁組は、夫が妻の父親より年長者であるときは、することができない。

075 □□□

Ａ男とＢ女について婚姻の届出がされている。ここで、Ｂ女とＢ女の前夫との間の17歳の嫡出子をＡ男が養子とする場合には、Ｂ女は縁組をしなくともよい。

076 □□□

夫婦が共同して未成年者と養子縁組をするものとして届出がされた場合には、夫婦の一方に縁組をする意思がなかったとしても、縁組の意思を有していた他方の配偶者と未成年者との間の養子縁組は、有効に成立する。

077 □□□

ＡがＢを養子とする縁組をした後Ｃと婚姻した。Ｃは、Ａが反対の意思を表示している場合であっても、Ｂを養子とすることができる。

× **073**

届出受理の時点で当事者が意識を失っていたとしても、受理前に翻意したなどの特段の事情が存在しない限り、縁組意思の存在が強く推定されるので、養子縁組は有効に成立する（最判昭45.11.24）。

○ **074**

尊属又は年長者は、これを養子とすることができない（793）。これは、社会における親子関係の秩序維持のためである。

○ **075**

配偶者のある者が未成年者を養子とするときには、配偶者とともに縁組をしなければならないが（795本文）、夫婦の一方が他方配偶者の嫡出子を養子とするときは、その一方だけで縁組をすることができる（795但書）。

× **076**

配偶者のある者が未成年者を養子とするには、配偶者とともにしなければならないので（795本文）、夫婦共同縁組に違反する縁組は、原則として、縁組意思のある配偶者についても無効である。

× **077**

配偶者のある者が縁組をするには、配偶者とともに縁組をする場合又は配偶者がその意思を表示することができない場合を除き、その配偶者の同意を得なければならない（796）。

078 ☐☐☐   平13-20-ウ（平元-21-3）

配偶者のある者が成年者を養子とするには、原則として、配偶者
の同意を得なければならないが、配偶者が心神喪失の状態にあり
その意思を表示することができないときは、その同意を得ないで
縁組をすることができる。

079 ☐☐☐   平24-20-ア

18歳の者を養親とし、15歳未満の者を養子とする養子縁組は、養
子となる者の法定代理人が養子縁組を承諾することにより、する
ことができる。

080 ☐☐☐   平22-20-イ

特別養子でない養子の縁組をする場合において、未成年者を養子
とするには、その父母の同意を得なければならないが、成年被後
見人を養子とするには、その成年後見人の同意を得る必要はない。

081 ☐☐☐   平13-20-ア

未成年者を養子とするには、原則として、家庭裁判所の許可を得
なければならないが、養子となるべき者が15歳未満であって法定
代理人の代諾により縁組をするときは、家庭裁判所の許可を得る
ことを要しない。

082 ☐☐☐   令2-20-イ（平24-20-ウ）

ＡとＢが、その間の嫡出子であるＣ（現在5歳）の親権者をＢと定
めて協議上の離婚をしたという事例において、Ａの父母であるＤ及
びＥが、Ｂの代諾によってＣと養子縁組をする場合には、家庭裁判
所の許可は不要である。

○ 078

配偶者のある者が成年者を養子とする場合には、夫婦の一方だけが単独で縁組をすることができる。この場合、原則として他方配偶者の同意を得なければならない（796本文）が、心神喪失の状態にあるなど、他方配偶者がその意思を表示できないときは、他方の同意は不要である（796但書）。

× 079

養子となる者が15歳未満であるときは、その法定代理人が、これに代わって、縁組の承諾をすることができる（797Ⅰ）。一方、養親となるには、20歳に達していることが必要であり、18歳の者は、養親となることはできない（792）。

× 080

普通養子縁組において、未成年者を養子とする場合に、父母の同意を要求する規定は存在しない。成年被後見人を養子とするには、その成年後見人の同意を要しない（799・738）。

× 081

未成年者を養子とするには、家庭裁判所の許可を得なければならない（798本文）。この許可は、養子となる者が15歳以上であって自ら縁組をする場合だけでなく、15歳未満であって法定代理人の代諾によって縁組をする場合にも、同様に必要である。

○ 082

未成年者を養子とするには、家庭裁判所の許可を得なければならない（798本文）。しかし、自己又は配偶者の直系卑属を養子とする場合には、当該許可は不要となる（798）。

配偶者の未成年の孫を養子とするには、家庭裁判所の許可を得る
必要はない。

A女は、婚姻中に嫡出子B男を出産した後、その親権者をA女と定
めて協議離婚した。その1年後、A女及びC男は、A女の氏を称す
ることとして婚姻した。その後、B男が16歳の時に、C男を養親
とし、B男を養子とする養子縁組をするには、家庭裁判所の許可
を得なければならない。

15歳未満の子について真実の親子関係がない戸籍上の親がした代
諾による養子縁組は、その親に代諾権がないので無効であるが、
その子は、15歳に達した後は、その縁組を追認することができる。

普通養子縁組の届出が受理された後に、養子が養親よりも年長で
あったことが判明したときは、当該縁組の当事者の一方は、他方に
対する取消しの意思表示をすることにより、当該縁組を取り消すこ
とができる。

○ **083**

未成年者を養子とするには、家庭裁判所の許可を得なければならない（民798本文）。しかし、自己又は配偶者の直系卑属を養子とする場合は、家庭裁判所の許可を得ることを要しない（798但書）。

× **084**

未成年者を養子とする場合、原則として家庭裁判所の許可が必要であるが（798本文）、自己又は配偶者の直系卑属を養子とする場合、家庭裁判所の許可は不要である（798但書）。

○ **085**

いったん他人の子として届け出た15歳未満の子について、その戸籍上の親がした代諾による養子縁組は、正当な代諾権を欠く者による縁組であるから無効である。しかし、その場合でも、子は、15歳に達した後は、民法総則の無権代理の追認に関する規定（113・116）、及び養子縁組の追認に関する規定（804・806・807）の趣旨の類推により、その縁組を追認することができる（最判昭27.10.3）。

× **086**

793条の規定に違反した縁組は、各当事者又はその親族から、その取消しを家庭裁判所に請求することができる（805）。縁組の取消しは、訴えによらなければならない。

Ａ女は、婚姻中に嫡出子Ｂ男を出産した後、その親権者をＡ女と定めて協議離婚した。その１年後、Ａ女及びＣ男は、Ａ女の氏を称することとして婚姻した。その後、Ｂ男が16歳の時に、Ｃ男を養親とし、Ｂ男を養子とする養子縁組がされたが、当該養子縁組について、Ａ女の同意を得ることなく養子縁組の届出がされ、これが受理された場合には、Ａ女は、縁組の取消しを家庭裁判所に請求することができない。

普通養子縁組の養子は、養親の嫡出子の身分を取得するが、養子の実親が死亡した場合には、実親の相続人となる。

養親Ａ養子Ｂ間の離縁は、Ａ又はＢが死亡した後も、家庭裁判所の許可があれば、することができる。

普通養子が未成年者であるときは、家庭裁判所の許可を得て、養親夫婦の一方と離縁することができる。

Ａ・Ｂ夫婦と養子縁組をしたＣは、Ｂと離縁をしても、縁組前の氏に復しない。

× **087**

配偶者の同意のない縁組は、縁組の同意をしていない者から、その取消しを家庭裁判所に請求することができる（806の2Ⅰ）。

○ **088**

養子縁組の日から養子は養親の嫡出子となり（809）、養子と養親との間においては、養子縁組の日から血族間におけるのと同一の親族関係が生ずる（727）。しかし、普通養子縁組においては、従来の親族関係は縁組による影響を受けないため、普通養子縁組の養子は、実親の直系卑属として実親の相続人となる（887Ⅰ）。

○ **089**

離縁は、死者の親族との関係を解消するために、家庭裁判所の許可によりすることができる（811Ⅵ）。

× **090**

普通養子が未成年であるときは、養親夫婦の一方と離縁することはできない（811の2本文）。

○ **091**

普通養子が養親夫婦の一方と離縁したときでも、その離縁によって縁組前の氏に復しない（816Ⅰ但書）。

092 □□□ 　　　　　　　　　　　平6-20-ウ（平2-12-1）

特別養子縁組は、戸籍法の定めるところにより、これを届け出ることによって、その効力を生じる。

093 □□□ 　　　　　　　　　　　平6-20-ア（平2-12-5）

特別養子の養親となる者は、配偶者のある者でなければならない。

094 □□□ 　　　　　　　　　　　　　　　平31-21-エ

特別養子縁組において、養親となる夫婦の一方が25歳に達しているときは、他の一方が20歳に達していなくても、当該夫婦は養親となることができる。

095 □□□ 　　　　　　　　　　　　　　　　令5-20-ウ

特別養子縁組が成立するまでに18歳に達した者は、養子となることができない。

096 □□□ 　　　　　　　平元-21-5（平6-20-オ、平15-21-オ）

甲乙が夫婦の場合において、特別養子である丙が満15歳に達した後は、甲乙と丙とは、その協議で離縁することができる。

097 □□□ 　　　　　　　　　　　　　　　平31-21-オ

特別養子縁組の養親は、縁組を継続し難い重大な事由があっても、家庭裁判所に対して特別養子縁組の当事者を離縁させることを請求することはできない。

× **092**

特別養子縁組は、養親となる者の申立てによる家庭裁判所の審判によって成立し（817の2Ⅰ）、また、効力を生じるものであり、戸籍法の届出によって、その効力を生じるのではない。

○ **093**

特別養子の養親となる者は、配偶者のある者でなければならない（817の3Ⅰ）。

× **094**

特別養子縁組においては、25歳に達しない者は、養親となることができない（817の4本文）が、養親となる夫婦の一方が25歳に達していない場合においても、その者が20歳に達しているときは、養親となることができる（817の4但書）。

○ **095**

特別養子縁組が成立するまでに18歳に達した者は、養子となることができない（817の5Ⅰ後段）。

× **096**

特別養子である子が満15歳に達した後であっても、養親夫婦と子との協議で離縁することはできない（817の10）。

○ **097**

特別養子縁組の離縁は、養親による虐待、悪意の遺棄その他養子の利益を著しく害する事由があり、かつ、実父母が相当の監護をすることができる場合に、養子の利益のため特に必要があると認めるときに限り、養子、実父母又は検察官の請求により、家庭裁判所の審判によってのみすることができる（817の10）。

特別養子と実父母の親族関係は、特別養子と養親との離縁があっても、再び生じることはない。

特別養子縁組の場合には、離縁が成立しても、養子は、縁組前の氏に復しない。

ＡとＢが婚姻した際にＢの氏を称することとした場合には、その後ＡとＣとの間で、Ｃを養親、Ａを養子とする養子縁組がされたときであっても、Ａは、Ｂの氏を称する。

他人の子を自己の嫡出子として出生の届出をしても、その届出は、嫡出子の出生の届出としては無効であるが、その届出が当該他人の子を自己の養子とする意図でされたものであるときは、その届出をもって養子縁組の届出があったものとされる。

× **098**

普通養子縁組の場合とは異なり、特別養子縁組によって、養子と実父母との親族関係は終了する（817の9）。特別養子制度は、養親と養子との間に実親子と同様の関係を成立させようとするものだからである。しかし、特別養子縁組が離縁によって終了した場合には、養子と実父母との親族関係は復活する（817の11）。

× **099**

特別養子縁組の場合であっても、離縁が成立したときは、養子は、縁組前の氏に復する（816Ⅰ）。

○ **100**

婚姻によって氏を改めた者が養子となったときは、婚姻の際に定めた氏を称すべき間は、養親の氏を称しない（810但書）。

× **101**

他人の子を自己の嫡出子として出生の届出をしても、その届出は虚偽の届出であるから、嫡出子の出生の届出としては無効である。また、養子縁組は、戸籍法の定めに従い、届出をすることによってその効力を生ずるものであり（799・739・800参照）、これは強行法規であるから、他人の子を自己の嫡出子とする出生届をもって養子縁組の届出があったものとみなすことはできない（最判昭25.12.28）。

3 親権

親権

102 ☐☐☐ 平23-20-オ

両親の離婚によって母が婚姻前の氏に復した場合において、子の親権者が母と定められたときは、その子は、母の氏を称する。

103 ☐☐☐ 平11-20-エ（平23-23-エ）

Aと離婚をしたBが嫡出である子Cを連れてDと婚姻をし、Dの氏を称しても、Cの氏は、Aが離婚をした際のA・B夫婦の氏のままである。

104 ☐☐☐ 平28-21-ア

親権を行う者は、自己のためにするのと同一の注意をもって、子の財産を管理しなければならない。

105 ☐☐☐ 令2-20-エ（平12-22-ア、平26-20-イ）

AとBが、その間の嫡出子であるC（現在5歳）の親権者をBと定めて協議上の離婚をした。BがFと婚姻して、FがCと養子縁組をした場合には、Cの親権者は、B及びFである。

× 102

嫡出である子は、父母の氏を称する（790Ⅰ本文）。そして、父母が離婚したことにより、母が婚姻前の氏に復し、子の親権者が母と定められた場合でも、それだけでは子の氏には当然に影響を及ぼすことはなく、母の氏を称するには、791条1項の手続を経る必要がある。

○ 103

AとBとが離婚をしても、その間の嫡出子Cは、親権の帰属にかかわらずその氏に変動はなく、また、父母の一方Bが、DとDの氏を称する婚姻をしても、Cの氏は、Aが離婚をした際のA・B夫婦の氏のままである。

○ 104

親権を行う者は、自己のためにするのと同一の注意をもって、その管理権を行わなければならない（827）。

○ 105

夫婦の一方が他方の親権に服する未成年の嫡出子と普通養子縁組をした場合、親権は、養親と実親が共同して行使する（大阪家審昭43.5.28）。

父母の婚姻中に父が後見開始の審判を受けた場合には、母が単独
で親権を行使しなければならない。

子の出生前に父母が離婚した場合には、父は、出生した子に対す
る親権を母と共同して行うことができる。

父母が協議離婚をする際に協議により父を親権者と定めた場合は、
父母の協議により、親権者を母に変更することができる。

AとBが、その間の嫡出子であるC（現在5歳）の親権者をBと定
めて協議上の離婚をした。Aの父母であるD及びEは、家庭裁判所
に対し、Aへの親権者の変更を求める調停又は審判の申立てをす
ることはできない。

Aが婚姻関係にないBによって懐胎し、子Cを出産した。BがCを
認知した場合、Cに対する親権はAとBが共同して行使する。

○ 106

親権には子の身分上及び財産上の広い権限を含むため、親権を行使する者は財産法上の行為能力と同様の能力が必要となる（明33.11.16民刑1451号、833参照・847参照）ので、成年被後見人は親権を行使することができない（大判明39.4.2）。

× 107

子の出生前に父母が離婚した場合には、親権は母がこれを行う（819Ⅲ）。ただし、子の出生後に、父母の協議で、父を親権者と定めることができる（819Ⅲ但書）。

× 108

親権者指定後の親権者の変更は、子の利益のために必要がある場合にのみ、子の親族の請求によって、家庭裁判所が行う（819Ⅵ）。

× 109

子の利益のため必要があると認めるときは、家庭裁判所は、子の親族の請求によって、親権者を他の一方に変更することができる（819Ⅵ）。そして、Aの父母であるD及びEは、Cの6親等内の血族であるため親族に該当する（725①）。

× 110

親権は、父母の婚姻中は父母が共同して行う（818Ⅲ本文）。そして、Aと婚姻関係にない父Bが子Cを認知した場合でも、Cに対する親権は母Aが行使し、AとBの共同親権に服することはない（818Ⅲ本文・819Ⅳ参照）。

111 □□□   平25-21-オ

母が親権者となっている子について、当該母と婚姻関係にない父が認知をしても、当該認知によって当該父が親権者となることはないが、父母の協議で、親権者を母から父に変更することができる。

112 □□□   令3-21-イ

親権を行う母が、第三者の債務の担保として、子を代理して、その子が所有する不動産に抵当権を設定する行為は、特別代理人の選任を要する利益相反行為に当たる。

113 □□□   平3-5-1（平6-21-ウ）

未成年の子と親権者との利益相反取引について、その判断はその客観的外形的事実によって判断し、その内心的意思や結果によって判断すべきではないという考え方に立って判断した場合、自己の営業資金を調達する意思で親権者が未成年の子を代理して金銭消費貸借をし、その債務を担保するために子の不動産の上に抵当権を設定する行為は、利益相反行為に該当する。

114 □□□   平26-21-エ（平3-5-2）改題

親権を行う父が自己の名義で金銭を借り入れるに当たり、子のために特別代理人を選任することなく子が所有する不動産に抵当権を設定する行為は、その金銭を子の養育費に充てる目的であったとしても、父とその子との利益が相反する行為に当たる。

○ **111**

父が認知した子に対する親権は、父母の協議で父を親権者と定めたときに限り、父が行う（819Ⅳ）。したがって、認知によって父が親権者となることはないが、父母の協議で、親権者を母から父に変更することができる。

✕ **112**

親権を行う父又は母とその子との利益が相反する行為については、親権を行う者は、その子のために特別代理人を選任することを家庭裁判所に請求しなければならない（826Ⅰ）。しかし、親権者が子を代理して、子の所有する不動産を第三者の債務の担保に供する行為は、利益相反行為に当たらない（最判平4.12.10）。

✕ **113**

親権者は当該借入金を親権者自身のために消費する意図で法律行為をしているが、行為の外形から客観的に判断すれば、子の債務を負担するために子の不動産の上に抵当権を設定しているので、親権者と子の間に利害衝突は生じず、当該行為は利益相反行為には当たらない（大判昭9.12.21）。

○ **114**

たとえ子の養育費を捻出するという意図に基づくものであっても、親権者自身の債務のために親権者が子を代理して子の不動産上に抵当権を設定する行為自体利益相反行為となる（最判昭37.10.2）。

115 ☐☐☐   平3-5-3 (平7-22-エ)

未成年の子と親権者との利益相反取引について、その判断はその
客観的外形的事実によって判断し、その内心的意思や結果によっ
て判断すべきではないという考え方に立って判断した場合、親権
者が数人の未成年の子を代理して遺産分割協議をするに際して全
員を平等に取り扱うよう考え、現実にも不平等の結果にならなかっ
た場合には利益相反行為に該当しない。

116 ☐☐☐   平9-19-エ (平3-5-4、平7-22-オ)

被相続人に妻と二人の未成年の子がある場合、妻は、自らが相続
放棄をしたときは、子の双方を代理して相続の放棄をすることが
できる。

117 ☐☐☐   令3-21-ウ

父母が共同して親権を行う場合に、父母の一方が、他方の意思に
反して、父母共同の名義で子に代わってした法律行為は、この事
情を相手方が知っていたときは、効力を生じない。

118 ☐☐☐   平26-21-オ

家庭裁判所が親権停止の審判をするには、父又は母による虐待又
は悪意の遺棄があるときその他父又は母による親権の行使が著し
く困難又は不適当であることにより子の利益を著しく害するときで
なければならない。

× **115**

仮に親権者において数人の子のいずれに対しても平衡を欠く意図がなく、親権者の代理行為の結果数人の子の間に利害の対立が現実化されていなかったとしても、遺産分割の協議の客観的性質上、相続人相互間に利害の対立を生ずるおそれのある行為であるから、利益相反行為に当たる（最判昭48.4.24）。

○ **116**

被相続人に妻と二人の未成年の子がある場合に、妻が、自ら相続放棄をした後、二人の子双方を代理して相続放棄を行うこともできる（最判昭53.2.24）。

○ **117**

父母が共同して親権を行う場合において、父母の一方が、共同の名義で、子に代わって法律行為をし又は子がこれをすることに同意したときは、その行為は、他の一方の意思に反したときであっても、そのためにその効力を妨げられない（825本文）。ただし、相手方が悪意であったときは、当該行為は効力を生じない（825但書）。

× **118**

問題文にある「父又は母による虐待又は悪意の遺棄があるときその他父又は母による親権の行使が著しく困難又は不適当であることにより子の利益を著しく害するとき」というのは、親権停止の審判の要件ではなく、親権喪失の審判の要件である（834）。

119 ⬜⬜⬜

令3-21-エ

父又は母による親権の行使が困難であることにより子の利益を害する場合には、検察官は、家庭裁判所に対し、その父又は母について親権停止の審判を請求することができる。

120 ⬜⬜⬜

平28-21-イ（令3-21-オ）

親権者による子の財産の管理が不適当であり、子の利益を害する場合であっても、親権のうち管理権のみを喪失させることはできない。

後見

121 ⬜⬜⬜

平12-22-ウ（平22-21-ア）

父が親権喪失の審判を受けた後、母が管理権喪失の審判を受けた場合、後見が開始する。

122 ⬜⬜⬜

平12-22-エ（平7-20-ウ）

養父母双方と未成年者が離縁をした場合、後見が開始する。

○ **119**

父又は母による親権の行使が困難又は不適当であることにより子の利益を害するときは、家庭裁判所は、子、その親族、未成年後見人、未成年後見監督人又は検察官の請求により、その父又は母について、親権停止の審判をすることができる（834の2Ⅰ）。

× **120**

父又は母による管理権の行使が困難又は不適当であることにより子の利益を害するときは、家庭裁判所は、管理権喪失の審判をすることができる（835）。

○ **121**

父が親権喪失の審判を受け、母が単独親権者となった後に、その母が管理権喪失の審判を受けた場合には、「未成年者に対して……親権を行う者が管理権を有しないとき」に当たり、その間の未成年の子につき未成年後見が開始する（838①）。

× **122**

養父母双方と未成年者が離縁をした場合、未成年後見は開始しない（838①）。離縁によって縁組が解消した場合は、実父母の親権が復活するので（811Ⅱ・Ⅲ参照）、「未成年者に対して親権を行う者がないとき」（838①）に当たらないからである。

　　　　　　　　　　　　　　　　　　　　　　平12-22-オ

未婚の未成年者が子を出生した場合、その子について後見が開始
する。

124 　　　　　　　　　　　　　　　　　　　　　　　　平29-21-イ

未成年者Aの親権者であるBが管理権を喪失したことを理由に未
成年後見人Cが選任された場合には、Cは、財産に関する権限の
みを有する。

125 　　　　　　　　　平29-21-ウ（平14-20--イ、平23-21-オ）

未成年者Aについて未成年後見が開始された場合には、家庭裁判
所は、未成年後見人を複数選任することはできない。

126 　　　　　　　　　　　　　　　　　　　　　　　　平29-21-エ

未成年者Aに嫡出でない子B（2歳）がおり、AがBの親権者であ
る場合において、Aについて未成年後見が開始され、CがAの未
成年後見人に選任されたときは、Cは、Aに代わって、Bに対する
親権を行う。

127 　　　　　　　　　　　　　　　　　　　　　　　　平31-4-ウ

未成年者は、後見人となることができない。

× 123

未婚の未成年者が子を出生した場合（例えばＡの親権に服する未成年の子Ｂが更に子Ｃを出生した場合）でも、その子Ｃについて未成年後見は開始しない。親権者は子の身分上及び財産上の広範な権限をもち、財産法上の行為能力と同様の能力が要求されることから、子を出産した未成年者自身は親権を行使することができないが、この場合、未成年者の親権者又は未成年後見人が親権を代行するからである（833・867Ⅰ）。

○ 124

親権を行う者が管理権を有しない場合には、未成年後見人は、財産に関する権限のみを有する（868）。

× 125

未成年後見人は一人である必要はなく、複数選任することも認められている（840Ⅰ・Ⅱ）。

○ 126

未成年後見人は、未成年被後見人に代わって親権を行う（867Ⅰ）。

○ 127

未成年者は、後見人となることができない（847①）。

128 □□□ 平22-21-イ

未成年後見人が選任された場合には、被後見人の戸籍にその旨の記載がされるが、成年後見人が選任された場合には、被後見人の戸籍にその旨の記載はされない。

129 □□□ 令2-21-ウ

成年後見人は、家庭裁判所の許可を得なければ、その任務を辞することができない。

130 □□□ 平27-21-エ（令5-21-エ）

家庭裁判所は、法人を成年後見監督人に選任することができない。

131 □□□ 平29-4-オ

成年後見人Bが成年被後見人Aの法定代理人として不動産を購入するには、Bにその代理権を付与する旨の家庭裁判所の審判がなければならない。

132 □□□ 令2-21-エ

成年後見人は、家庭裁判所の許可を得なくても、成年被後見人名義の預金口座を解約することができる。

133 □□□ 平27-21-ウ

成年後見人は、成年被後見人との利益が相反する行為をするには、家庭裁判所の許可を得なければならない。

○ **128**

未成年後見人が選任されたときは、その旨が未成年者の戸籍に記載される（戸籍13⑧、戸施規30Ⅰ・35⑤）。成年後見人が選任された場合には、被後見人の戸籍にその旨が記載されることはなく、成年後見登記がされる（後見登記4）。

○ **129**

後見人は、正当な事由があるときは、家庭裁判所の許可を得て、その任務を辞することができる（844）。

× **130**

法人を成年後見人に選任することができる（843Ⅳ参照）。この点、当該規定は後見監督人にも準用されているので（852）、法人を成年後見監督人に選任することができる。

× **131**

成年後見人は、成年被後見人の財産に関する法律行為について、包括的に、成年被後見人を代理する権限を有する（859Ⅰ）。

○ **132**

成年後見人は、本人の財産に関する法律行為について、包括的代理権を付与されており、原則として、自己の判断に基づいて被後見人の財産の処分を行うことが可能である。

× **133**

後見人と被後見人との利益が相反する行為については、後見人は、後見監督人がいる場合を除き、その被後見人のために特別代理人を選任することを家庭裁判所に請求しなければならない（860・826）。

134 □□□

未成年後見人も成年後見人も、善良な管理者の注意をもって被後
見人の財産を管理しなければならない。

135 □□□
平27-21-オ

家庭裁判所は、いつでも、成年後見人に対し、後見の事務の報告
又は財産の目録の提出を求めることができる。

136 □□□
平28-21-エ

成年後見人は、成年被後見人に代わってその居住用建物を売却す
るには、家庭裁判所の許可を得なければならない。

137 □□□
平28-21-オ

後見人は、後見の事務を行うために必要な費用であっても、被後
見人の財産からその支払をするには、家庭裁判所の許可を得なけ
ればならない。

138 □□□
令2-21-オ

成年後見人は、成年被後見人が死亡した場合には、その相続財産
に属する債務について、弁済期が到来しているものであっても、弁
済をすることはできない。

○ **134**

後見人の注意義務については、委任に関する規定が準用されており（869・644）、これは未成年後見及び成年後見のいずれにも当てはまる。したがって、後見人は、被後見人の身上に関するものであると財産管理に関するものであるとを問わず、善良な管理者の注意義務をもって後見事務を処理する義務を負う。

○ **135**

後見監督人又は家庭裁判所は、いつでも、後見人に対し後見の事務の報告若しくは財産の目録の提出を求め、又は後見の事務若しくは被後見人の財産の状況を調査することができる（863 I）。

○ **136**

成年後見人は、成年被後見人に代わって、その居住の用に供する建物又はその敷地について、売却、賃貸、賃貸借の解除又は抵当権の設定その他これらに準ずる処分をするには、家庭裁判所の許可を得なければならない（859の3）。

× **137**

後見人が後見の事務を行うために必要な費用は、被後見人の財産の中から支弁する（861 II）。この点、後見人の報酬とは異なり、家庭裁判所の審判を得る必要はない（862参照）。

× **138**

成年後見人は、成年被後見人が死亡した場合において、必要があるときは、成年被後見人の相続人の意思に反することが明らかなときを除き、相続人が相続財産を管理することができるに至るまで、相続財産に属する債務（弁済期が到来しているものに限る。）の弁済をすることができる（873の2②）。

夫婦であるＡＢ間に未成年の子Ｃがいる場合において、Ａが親権を
喪失したときは、Ｂは、遺言で、Ｃの未成年後見人を指定すること
ができる。

○ **139**

未成年者に対して最後に親権を行う者は、遺言で、未成年後見人
を指定することができる（839Ⅰ本文）。

④ 扶養

140 ☐☐☐   平12-20-ウ

Aが婚姻関係にないBによって懐胎し、子Cを出産した場合において、BがCを認知した場合、Bは、Aと婚姻をしなくとも、Cに対する扶養義務を負う。

141 ☐☐☐   平7-18-イ（平21-22-エ）

甲は、丙と離婚したが、その間の子乙については、丙が親権者となり、かつ現実に監護養育することとなった。この場合、甲は、乙に対して扶養義務を負うことはない。

142 ☐☐☐   平20-21-エ

A男とB女について婚姻の届出がされている場合、B女は、A男と離婚する前であっても、A男の母親に対しては扶養義務を負うことはない。

143 ☐☐☐   平17-22-ア

扶養義務は、配偶者、直系血族及び兄弟姉妹について生じ、これらの者が存在しない場合には、3親等内の親族間において生じる。

144 ☐☐☐   平17-22-ウ

要扶養者を現に扶養している扶養義務者の意思に反して、他の扶養義務者が要扶養者を引き取って扶養した場合には、当該他の扶養義務者が扶養料の全額を負担することとなる。

○ **140**

父Bが子Cを認知した場合、Bは、Cの母Aと婚姻をしなくとも、Cに対する扶養義務を負う（877Ⅰ）。父が子を認知することにより、子の出生の時から親子の関係を生じ（784）、その結果、父と認知された子とは、相互に扶養義務を負うべき直系血族に当たるからである。

× **141**

親権者とならなかった親甲と子乙の関係も、依然直系血族なので、扶養義務を負う（877Ⅰ）。

× **142**

直系血族及び兄弟姉妹は、互いに扶養をする義務を負う（877Ⅰ）。また、家庭裁判所は、特別の事情があるときは、3親等内の親族間においても扶養の義務を負わせることができる（877Ⅱ）。

× **143**

配偶者、直系血族や兄弟姉妹が存在しない場合でも、直ちに3親等内の親族間に扶養義務が生じるわけではない。扶養義務は、夫婦・直系血族・兄弟姉妹間について生じ（752・877Ⅰ）、家庭裁判所は、特段の事情があるときは、上記以外の3親等内の親族間において扶養義務を負わせることができるにすぎない（877Ⅱ）。

× **144**

要扶養者を現に扶養している扶養義務者の意思に反して、他の扶養義務者が要扶養者を引き取って扶養した場合でも、当該扶養義務者が扶養料の全額を負担することにはならない（最判昭26.2.13）。

145 ☐☐☐

扶養義務者でないにもかかわらず、自発的に要扶養者を扶養して
きた者は、扶養義務者に対して扶養に要した費用を求償すること
はできない。

146 ☐☐☐
平11-5-5

AのBに対する債権をCが譲り受けようとする場合に、AのBに対
する債権が民法上の扶養請求権である場合、Cは、債権を取得す
ることができない。

147 ☐☐☐
平17-22-イ

要扶養者は、将来の扶養請求権を放棄することはできないが、既
に弁済期が到来した扶養料請求権については、これを放棄するこ
とができる。

× 145

扶養義務のない第三者は、立替扶養料を不当利得又は事務管理として扶養義務者の全員又は任意の一人に対して、扶養に要した費用を請求することができる（神戸地判昭56.4.28）。

○ 146

扶養請求権は、明文で譲渡等の処分が禁止されている（881）。そして、この規定は、被扶養者の生活を保護するための強行規定である。したがって、Cは債権を取得することができない。

○ 147

要扶養者は、将来の扶養請求権を放棄することはできない（881、札幌高決昭43.12.19）が、既に弁済期が到来した扶養料請求権については、これを放棄することができる（通説）。

第9編
相続法

① 相続人

相続欠格

001 ☐☐☐   平14-22-1

被相続人に対する傷害致死により刑に処せられた者は相続人となることはできないが、被相続人に対する殺人予備により刑に処せられた者は相続人となることができる。

002 ☐☐☐   平27-22-ウ（平14-22-2）

夫A及び妻Bの子であるCが、故意にAを死亡させて刑に処せられた場合において、その後にBが死亡したときは、Cは、Aの相続について相続人となることができないほか、Bの相続についても相続人となることができない。

003 ☐☐☐   平14-22-3

被相続人が殺害されたことを知りながら告訴又は告発をしなかった者であっても、自己の兄が殺害者であるために告訴又は告発をしなかったときは、相続人となることができる。

004 ☐☐☐   平14-22-4

相続に関する被相続人の遺言書を破棄した者であっても、当該破棄が相続に関して不当な利益を得ることを目的としたものでなかったときは、相続人となることができる。

× **001**

被相続人に対する傷害致死（刑205）により刑に処せられた者であっても、相続人となることができる（大判大11.9.25）。これに対し、被相続人に対する殺人予備（刑201・199）により刑に処せられた者は、相続人になることはできない（891①）。

○ **002**

父に対する殺人（刑199）により刑に処せられた子は、父の相続に関して相続人となることができないほか、父の配偶者であった母の相続に関しても、相続人となることはできない（891①）。同順位にある者を死亡させたといえるからである（887Ⅰ・890）。

× **003**

被相続人の殺害されたことを知って、これを告発せず、又は告訴しなかった者であっても、殺害者が「自己の配偶者若しくは直系血族」であったときは欠格者とならない（891②但書）。自己の兄は傍系血族であってこれに該当しないため、相続人となることはできない（891②本文）。

○ **004**

相続に関する被相続人の遺言書を破棄した者であっても、当該破棄が相続に関して不当な利益を得ることを目的としたものでなかったときは、相続人となることができる（最判昭56.4.3、最判平9.1.28）。

相続欠格の場合には、被相続人は家庭裁判所にその取消しを請求することができないが、相続人の廃除の場合には、被相続人は家庭裁判所にその取消しを請求することができる。

推定相続人の廃除

相続欠格の効果は、一定の事由があれば、法律上当然に生ずるが、相続人の廃除の効果は、家庭裁判所の審判によって生ずる。

相続欠格の対象は、すべての推定相続人であるが、相続人の廃除の対象は、遺留分を有する推定相続人のみである。

被相続人は、推定相続人である兄弟姉妹の廃除を請求することはできない。

005

相続欠格は、欠格事由に該当すれば被相続人の意思にかかわらず
法律上当然に生ずるものであって、その効果の取消しを認める規
定もないことから、その取消しを請求することはできない。これ
に対して、相続人の廃除は、被相続人の意思や感情を考慮するも
のであって、被相続人が廃除の効果を失わせることを望むのであ
ればこれを妨げる理由はないので、被相続人は家庭裁判所にその
取消しを請求することができる（894Ⅰ）。

006

相続欠格は、相続人の行為が欠格事由に該当すれば、当然にその
相続人の相続権を剥奪するものである（891）。これに対して、
相続人の廃除は、相続権を剥奪するか否かは被相続人の選択に委
ねられており、被相続人がこれを望むときは家庭裁判所に請求す
ることとさせ（家事手続39）、その審判によって生ずることとし
ている（892・893）。

007

相続欠格の対象は、全ての推定相続人であるが（891）、相続人
の廃除の対象は、遺留分を有する推定相続人のみである（892）。

008

廃除の対象となり得るのは、遺留分を有する推定相続人である
（892）。この点、兄弟姉妹は相続人であるが遺留分を有しないた
め（1042）、推定相続人の廃除の対象とはならない。

009 ☐☐☐　　　　　　　　　　　　　　　　平27-22-オ

被相続人の生前にされた推定相続人の廃除は、遺言によって取り消すことはできない。

代襲相続

010 ☐☐☐　平23-22-イ（平2-6-4、平8-21-ウ、平17-23-イ・オ）

Aには子Bがおり、Bには子Cがいる。AとBとが同時に死亡した。この場合、Cは、Bを代襲してAの相続人となる。

011 ☐☐☐　　　　　　　　　　　　　　　　平17-23-オ

ＡＢ夫婦間には子Ｃ及びＤがおり、ＤＥ夫婦間には子Ｆ及びＧがいる。Ａ及びＤが同乗する自動車の事故によりいずれも死亡したが、両名の死亡の前後が不明であった場合には、Ａの相続人は、Ｂ、Ｃ、Ｆ及びＧである。

✕ **009**

被相続人は、いつでも、推定相続人の廃除の取消しを家庭裁判所に請求することができる（894 I）。そして、既に行われた廃除の審判を遺言によって取り消すことも可能である。

◯ **010**

被相続人の子が相続開始以前に死亡した場合、その者の子について代襲相続が開始する（887 II）。そして、「相続開始以前」には、相続人と被相続人が同時に死亡した場合が含まれる。したがって、AとBが同時に死亡した場合、CはBを代襲してAの相続人となる。

◯ **011**

数人の者が死亡した場合において、その前後が明らかでない場合、これらの者は、同時に死亡したものと推定される（32の2）。そして、被相続人とその子が同時に死亡した場合、被相続人の孫は被相続人の子を代襲する。したがって、Aの相続人は、B、C、F及びGである。

② 相続の効力

相続の効力総説

012 ⬜⬜⬜   平17-24-イ

甲土地を所有していたＡが死亡し、Ａの嫡出子Ｂ、Ｃ及びＤが甲土地を相続した。その後、Ｂ、Ｃ及びＤの全員が合意して、遺産分割前に甲土地をＥに6,000万円で売却した。この場合、Ｂは、遺産分割をすることなく、Ｅに対し、2,000万円の支払を請求することができる。

013 ⬜⬜⬜   平21-23-ア（平30-22-イ）

Ａが死亡し、Ａの法定相続人が妻Ｂ、子Ｃ及び子Ｄのみである場合、Ａの遺産である現金については、遺産分割を待つことなく、Ｂが2分の1、Ｃ及びＤが各4分の1を取得する。

014 ⬜⬜⬜   平21-23-オ（平30-22-ウ）

ＡがＡ所有の建物をＢに賃貸している場合において、Ａが死亡し、子Ｃが遺産分割により同建物を取得したときは、Ｃのみが、Ａ死亡時からのＢに対する賃料請求権を取得し、共同相続人Ｄは、当該賃料請求権について、権利を有しない。

○ **012**

共同相続人全員の合意により遺産を構成する特定の不動産を第三者に売却した場合、その代金債権は、各相続人にその持分に応じて帰属し、各相続人は、遺産分割をすることなく、個々にこれを請求することができる（最判昭52.9.19）。

× **013**

遺産である現金については、遺産分割を待って相続人に帰属することになり、相続人は、遺産分割までの間は、相続開始時に存した金銭を相続財産として保管している他の相続人に対して、自己の相続分に相当する金銭の支払を求めることはできない（最判平4.4.10）。

× **014**

賃料債権は、各共同相続人がその相続分に応じて分割単独債権として確定的に取得する。また、この賃料債権の帰属は、後にされた遺産分割の影響を受けない（最判平17.9.8）。

相続法

2 相続の効力

015 ☐☐☐

Aは、乙建物を所有し、子Bと同居していた。その後、Aが死亡し、Aの子B、C及びDが乙建物を相続した。この場合、C及びDは、遺産分割前であっても、Bに対し、乙建物の明渡しを請求することができる。

016 ☐☐☐

被相続人の内縁の妻が、被相続人の死亡後も、被相続人と同居していた相続財産である建物に引き続き居住している場合には、その内縁の妻は、その建物の所有権を取得した相続人に対し、その建物について賃借権を主張することができる。

017 ☐☐☐ 平17-24-エ（平元-14-ウ、平22-23-ア、平27-23-ア）

A、B及びCが債権者Dに対して2,000万円の連帯債務を負っていたところ、Aが死亡し、Aの配偶者E及び子Fが当該債務を相続した。この場合、Dは、Eに対し、1,000万円の限度で、支払を請求することができる。

× **015**

共同相続人の一人が相続開始前から被相続人の許諾を得て遺産である建物に被相続人と同居していた場合、被相続人の死亡から少なくとも遺産分割終了までの間は、被相続人の地位を承継した他の相続人を貸主、同居の相続人を借主とした建物の使用貸借契約が成立したものと推認され、他の相続人は、遺産分割前に建物の明渡しを請求することはできないと解される（最判平8.12.17）。

× **016**

被相続人の内縁の妻が、被相続人の死亡後も、被相続人と同居していた相続財産である建物に引き続き居住している場合には、その内縁の妻は、その建物の所有権を取得した相続人に対し、その建物について賃借権を主張することはできない（最判昭42.2.21参照）。

○ **017**

相続人が連帯債務を共同相続した場合、相続人は、被相続人の債務の分割されたものを承継し、各自承継した範囲において他の連帯債務者とともに連帯債務者となる（最判昭34.6.19）。したがって、Dは、配偶者Eに対し、1,000万円の限度で、支払を請求することができる。

被相続人Aが不法行為によりCに精神的苦痛を与えた場合、Cが
慰謝料請求の意思を具体的に表示する前にAが死亡したときは、
Aの唯一の相続人であるBは、Cに対する慰謝料の支払義務を負
わない。

第三者が相続財産である不動産を占有している場合において、相
続人の一人がその占有を承認しているときは、他の相続人は、そ
の第三者に対してその不動産の明渡しを請求することはできない。

抵当権を設定した者がその旨の登記がされる前に死亡した場合に
おいて、その相続人が存在しないときは、抵当権設定者の死亡前
にその旨の仮登記がされていない限り、抵当権者は、相続財産法
人に対して抵当権の設定の登記手続を請求することができない。

✕ 018

被害者が不法行為により精神的苦痛を負った場合、被害者は、財産上の損害と同様に、損害の発生と同時に損害賠償請求権を取得し、これに対応する加害者の損害賠償債務は、加害者の一身に専属する債務（896但書）ではなく、通常の金銭債務であるから、既に慰謝料の支払債務が生じた後に加害者が死亡している以上、当然にその相続人が慰謝料の支払債務を承継する（大判昭7.7.8）。

○ 019

第三者が相続財産である不動産を占有している場合において、相続人の一人がその占有を承認しているときは、他の相続人は、その第三者に対してその不動産の明渡しを請求することができない（最判昭63.5.20）。

○ 020

抵当権を設定した者がその旨の登記がされる前に死亡した場合において、その相続人が存在しないときは、抵当権設定者の死亡前にその旨の仮登記がされていない限り、抵当権者は、相続財産法人に対して抵当権の設定の登記手続を請求することができない（最判平11.1.21）。

相続分

平17-23-イ

021 ☐☐☐

ＡＢ夫婦間には子Ｃ及びＤがおり、ＤＥ夫婦間には子Ｆ及びＧがいる。Ａが死亡した当時、Ｄが既に死亡しており、Ｇが胎児であった場合には、Ａの相続人は、Ｂ、Ｃ及びＦである。

平17-23-ウ

022 ☐☐☐

ＡＢ夫婦間には子Ｃ及びＤがおり、ＤＥ夫婦間には子Ｆ及びＧがいる。Ｆが死亡した当時、Ｂ、Ｄ及びＥがいずれも死亡していた場合には、Ｆの相続人は、Ｇである。

令3-22-エ

023 ☐☐☐

Ａを被相続人、Ａの子であるＢ及びＣのみが相続人である場合において、Ａが相続開始の時に有した債務の債権者は、遺言による相続分の指定がされた場合であっても、その指定された相続分に応じた債務の承継を承認しない限り、Ｂ及びＣに対し、その法定相続分に応じてその権利を行使することができる。

× 021

被相続人が死亡した当時、既に被相続人の子が死亡していた場合、その者の子が代襲相続する（887Ⅱ）。この場合、子は、出生していることを要せず、胎児であれば足りる。相続においては、相続開始時点において相続人が存在していなければならない（同時存在の原則）が、胎児は既に生まれたものとみなされる（886Ⅰ）からである。したがって、Aの相続人はB、C、F及びGである。

× 022

被相続人に子がいない場合、被相続人の直系尊属、兄弟姉妹の順で相続人となる（889Ⅰ①・②）。この場合、相続人の父母が死亡しているときでも、その父母（被相続人の祖父母）が生存しているときは、これらの者が固有の相続権を有し、兄弟姉妹は相続人とはならない。したがって、Fの相続人は、Aである。

○ 023

被相続人が相続開始の時において有した債務の債権者は、遺言による相続分の指定がされた場合であっても、その指定分に応じた債務の承継を承認しない限り、各共同相続人に対し、法定相続分に応じてその権利を行使することができる（902の2）。

024 □□□
平10-22-エ（平3-15-2）

特別受益の有無又は価額について共同相続人間の協議が調わないときは、相続人は、家庭裁判所に特別受益を定めるよう請求することができる。

025 □□□
平10-22-ア

生前贈与は、相続開始前の1年間にしたものに限り、特別受益となる。

026 □□□
平10-22-ウ

受贈者の行為によって、受贈財産の価格が減少しているときは、その現存価格が特別受益となる。

027 □□□
平10-22-イ

特別受益となる贈与の価額が受贈者の法定又は指定相続分の価額を超えるときであっても、受贈者は、超えた価額を返還する必要はない。

028 □□□
平10-22-オ

被相続人は、遺言によって、特別受益の持戻しを免除することができる。

× 024

特別受益の有無又は価額について共同相続人間の協議が調わない
ときであっても、相続人は、家庭裁判所に特別受益を定めるよう
請求することはできない。特別受益は、その存在によって当然に
相続分が修正されるのであって（903Ⅰ）、寄与分が相続人間の
協議・審判によってはじめて形成される（904の2Ⅰ・Ⅱ）もの
ではないからである。

× 025

生前贈与は、相続分の前渡しと評価されるものであれば相続開始
前の1年間にしたものに限らず、特別受益となる（903Ⅰ）。

× 026

受贈財産の価格が減少している場合、それが受贈者の行為によら
ないときは現存価額で評価すれば足りるが、受贈者の行為による
ときは、原状のまま存在するものと擬制して相続開始時の相場で
評価される（904）。

○ 027

特別受益の額が法定又は指定相続分の額を超える場合でも、特別
受益者は相続分を受けることができないだけで（903Ⅱ）、その
超過額を返還する必要はない。

○ 028

被相続人は遺言によって、特別受益の持戻しを免除することがで
きる（903Ⅲ）。

029 ■■■   令6-23-ア

Aには、配偶者B及び子Cがおり、BがAに対して無償で療養看護
をしていたところ、Aが死亡し、B及びCがAを相続した。この場
合において、Bが療養看護をしたことによりAの財産の維持又は増
加に特別の寄与をしたと認められるときは、Bは、Cに対し、特別
寄与料の支払を請求することができる。

030 ■■■   令6-23-ウ

Aには、子Bがおり、Aの弟であるCが定期的にA名義の預金口座
に現金を振込送金し、生活費の援助をしていたところ、Aが死亡し、
BがAを相続した。この場合において、CがAの生活費を援助した
ことによりAの財産の維持又は増加に特別の寄与をしたと認められ
るときは、Cは、Bに対し、特別寄与料の支払を請求することが
できる。

031 ■■■   平30-22-ア

共同相続人の一人が遺産の分割前にその相続分を第三者に譲り渡
したときは、他の共同相続人は、遺産の分割が終了するまでの間
であればいつでも、当該第三者に対してその価額及び費用を償還
して、その相続分を譲り受けることができる。

遺産分割

032 ■■■   平11-22-ウ（平15-23-ア、平17-24-ウ）

相続開始後遺産分割前に共同相続人Aから相続財産中の甲不動産
についてのAの権利を第三者Bが譲り受けた場合、Bは、遺産分割
の手続を経ることなく、共同相続人に対して共有物分割の請求を
することができる。

× 029

被相続人に対して無償で療養看護その他の労務の提供をしたことにより被相続人の財産の維持又は増加について特別の寄与をした被相続人の親族は、相続の開始後、相続人に対し、特別寄与料の支払を請求することができる（1050 I）。

× 030

被相続人に対して無償で療養看護その他の労務の提供をしたことにより被相続人の財産の維持又は増加について特別の寄与をした被相続人の親族は、相続の開始後、相続人に対し、特別寄与料の支払を請求することができる（1050 I）。

× 031

共同相続人の一人が遺産の分割前にその相続分を第三者に譲り渡したときは、他の共同相続人は、1か月以内に、当該第三者に対してその価額及び費用を償還して、その相続分を譲り受けることができる（905）。

○ 032

相続開始後遺産分割前に共同相続人Aから相続財産中の甲不動産についてのAの権利を第三者Bが譲り受けた場合、Bは、907条の遺産分割の手続を経ることなく、共同相続人に対して258条に基づく共有物分割の請求をすることができる（最判昭50.11.7）。

033 □□□ 令3-22-ウ

Aを被相続人、Aの子であるB及びCのみが相続人である場合において、Aを債権者とする普通預金債権について、B及びCは、Aの相続開始により、各相続分に応じて分割された同債権をそれぞれ取得することはなく、同債権は、遺産分割の対象となる。

034 □□□ 平30-22-エ

共同相続人の一人から遺産である特定の不動産についての共有持分を譲り受けた第三者が共有関係を解消しようとする場合において、他の共同相続人との間で協議が調わないときは、遺産の分割ではなく、共有物の分割を裁判所に請求する必要がある。

035 □□□ 平23-23-ア

Aが死亡し、その相続人はB、C及びDの3名である。相続開始後遺産分割前に共同相続人Dがその相続分全部を第三者Eに譲渡したときは、B又はCがDの相続分について取戻権を行使しない限り、Eは、遺産分割手続の当事者となり、B及びCとの間で遺産分割協議が調わない場合には、家庭裁判所に遺産分割の調停又は審判を申し立てることができる。

036 □□□ 平27-23-イ

被相続人は、遺言で、相続開始の時から5年を超えない期間を定めて、遺産の分割を禁ずることができる。

○ 033

共同相続された普通預金債権、通常貯金債権及び定期貯金債権は、いずれも、相続開始と同時に当然に相続分に応じて分割されることはなく、遺産分割の対象となる（最大決平28.12.19）。

○ 034

遺産を構成する特定不動産について、共同相続人の一人が有する共有持分権を譲り受けた第三者が、共同所有関係の解消を求める方法としてとるべき手続は、907条の遺産分割審判ではなく、258条に基づく共有物分割訴訟である（最判昭50.11.7）。

○ 035

共同相続人は、遺産分割前であっても、自己の相続分を第三者に譲り渡すことができる（905 I）。そして、相続分が譲渡された場合、譲渡人は遺産分割手続における当事者適格を失い、譲受人が遺産分割手続の当事者となる（大阪高決昭54.7.6）。

○ 036

被相続人は、遺言で、遺産の分割の方法を定め、若しくはこれを定めることを第三者に委託し、又は相続開始の時から5年を超えない期間を定めて、遺産の分割を禁ずることができる（908 I）。

037 ☐☐☐   平11-22-イ

相続財産中の甲不動産を共同相続人Aに相続させる旨の遺言は、遺産分割の方法の指定に当たるので、甲不動産をAに取得させるためには、遺産分割の手続を経なければならない。

038 ☐☐☐   平23-23-イ

家庭裁判所は、遺産の範囲について民事訴訟で解決が図られる前であっても、自ら遺産の範囲について判断して、それを前提に遺産分割の審判をすることができる。

039 ☐☐☐   平27-23-オ（平7-21-イ、平11-22-オ、平15-23-オ、
                                              平23-23-エ）

共同相続人間において遺産分割の協議が成立した場合に、相続人の一人が他の相続人に対してその協議において負担した債務を履行しないときは、当該他の相続人は、債務不履行を理由としてその協議を解除することができる。

040 ☐☐☐   平11-22-エ（平7-21-イ、平23-23-エ）

共同相続人間にいったん遺産分割協議が成立した場合、共同相続人は、その協議を合意解除して新たな遺産分割協議を成立させることはできない。

✕ 037

相続財産中の甲不動産を共同相続人Aに相続させる旨の遺言は、被相続人の死亡の時（遺言の効力の生じた時）に直ちに当該遺産が当該相続人に相続により承継され、特段の事情のない限り、遺産分割手続等、何らの行為を要しない（最判平3.4.19）。

○ 038

遺産分割の審判に際して、相続人の範囲や遺産の範囲で争いがある場合、家庭裁判所は、家庭裁判所における審判手続の中で、前提問題を審理し判断した上で、遺産分割の審判を行うことができる（最大決昭41.3.2）。

✕ 039

共同相続人間において遺産分割協議が成立した場合に、相続人の一人が他の相続人に対して当該遺産分割協議において負担した債務を履行しないときであっても、他の相続人は541条によって当該遺産分割協議を解除することができない（最判平1.2.9）。

✕ 040

共同相続人間において遺産分割協議が成立した場合でも、共同相続人の全員で、その分割協議を合意解除することは、法律上当然には妨げられるものではない（最判平2.9.27）。したがって、合意解除をした後に新たな遺産分割協議を成立させることができる。

❸ 相続の承認と放棄

041 ▢▢▢　　　　　　　　　　　　　　　　平29-22-ア改題

Cがその子Dに遺産分割方法の指定としてC所有の乙土地を取得させる旨の遺言をした場合、Dは相続の放棄をすることなく、遺言による財産の取得のみを放棄することはできない。

042 ▢▢▢　　　　　平9-19-ウ（平19-24-イ、令2-22-ウ）

相続の開始前でも、家庭裁判所の許可を得れば、相続の放棄をすることができる。

043 ▢▢▢　　　　　　　　　　　　　　　　　　平19-24-ア

相続の放棄には、条件を付すことができない。

044 ▢▢▢　平5-22-イ（平4-23-1、平12-19-ア、平13-21-ア）

甲が死亡し、その子A、B及びCに相続が開始した。Aが自己のために相続が開始したことを知った時から3か月が経過したときは、B及びCは、自己のために相続が開始したことを知らなくても、相続を放棄することができない。

045 ▢▢▢　　　　　　　　　　　平26-22-イ（平4-23-4）

相続人において、相続財産が全く存在しないと信じ、かつ、このように信ずるについて相当な理由がある場合における相続の承認又は放棄をすべき期間は、当該相続人が相続開始の原因となる事実及びこれにより自己が法律上相続人となった事実を知った時から起算する。

○ **041**

受遺者は、遺言者の死亡後、いつでも、遺贈の放棄をすることができる（986 I）。これに対して、遺産分割方法の指定により特定財産を取得する者は、被相続人を相続する以上は、被相続人の当該指定に拘束されるため、特定財産を放棄するためには、相続そのものを放棄しなければならない。

× **042**

相続の放棄は、相続の開始前にすることはできない。相続の承認・放棄は3か月の熟慮期間内にしなければならないが、その起算点は「自己のために相続の開始があったことを知った時」からである（915 I 本文）。

○ **043**

相続の放棄は、相続の効果を全面的に拒否するものであるから、単純でなければならず、条件・期限を付けることは許されない。

× **044**

相続人は「自己のために相続の開始があったことを知った時から3か月以内」に家庭裁判所に放棄の申述をしなければならないとして、熟慮期間を設けている（915 I）。この熟慮期間は、相続人が数人あるときは、相続人ごとに起算される（最判昭51.7.1）。

× **045**

被相続人に相続財産が全く存在しないと信ずるにつき、相当の理由があると認められる場合の熟慮期間は、相続人が相続財産の全部又は一部の存在を認識した時又は通常これを認識し得べき時である（最判昭59.4.27）。

046 ▢▢▢   令2-22-ア（平12-19-エ）

相続の承認又は放棄をすべき期間は、伸長することができない。

047 ▢▢▢   平12-19-イ

Aの相続につきその相続人であるBが承認又は放棄をしないで死亡したときは、Bの相続人であるCは、Aの相続につき放棄をした後であっても、Bの相続につき放棄をすることができる。

048 ▢▢▢   平26-22-エ（平5-22-キ）

相続の承認又は放棄をした場合であっても、相続の承認又は放棄をすべき期間内であれば、これを撤回することができる。

049 ▢▢▢   令2-22-エ

相続の放棄をした者が、強迫を理由として相続の放棄の取消しをしようとする場合には、その旨を家庭裁判所に申述しなければならない。

× **046**

相続の承認又は放棄をすべき期間は、利害関係人又は検察官の請求によって、家庭裁判所において、伸長することができる（915Ⅰ但書）。

○ **047**

再転相続人Cは、その地位そのものに基づき、Aの相続とBの相続のそれぞれにつき承認又は放棄の選択に関して、各別に熟慮し、かつ、承認又は放棄をする機会が保障されているので（916・915）、Aの相続につき放棄をした後であっても、Bの相続につき放棄をすることができる（最判昭63.6.21）。

× **048**

相続の承認及び放棄の効力は確定的に生じ、いったん承認又は放棄した以上は、自己のために相続の開始があったことを知った時から3か月以内でも、撤回することができない（919Ⅰ・915Ⅰ本文）。

○ **049**

相続の承認及び放棄は、915条1項の期間内でも、撤回することができないが（919Ⅰ）、民法第1編（総則）及び第4編（親族）の規定により相続の承認又は放棄の取消しをすることはできる（919Ⅱ）。そして、限定承認又は相続の放棄の取消しをしようとする者は、その旨を家庭裁判所に申述しなければならない（919Ⅳ）。

050 ☐☐☐

未成年者である相続人が相続の承認又は放棄をするためには、その法定代理人の同意又はその代理によることを要しない。

051 ☐☐☐

未成年である相続人の親権者が相続財産である建物を売却したときは、その相続人は、単純承認をしたものとみなされる。

052 ☐☐☐

相続人が相続財産である建物の不法占有者に対し明渡しを求めたときは、単純承認をしたものとみなされる。

053 ☐☐☐

相続人が3年を超えない期間を定めて相続財産である建物を賃貸しても、単純承認をしたものとみなされない。

× **050**

相続の承認・放棄は財産上の行為であるから、相続人がこれをするには、通常の財産法的行為能力を有することが必要である。したがって、相続人が未成年者である場合には、法定代理人である親権者又は後見人の同意（5Ⅰ）を得るか、法定代理人が代わってすることを要する（824・859）。

○ **051**

未成年である相続人の親権者が相続財産である建物を売却したときは、その相続人は、単純承認をしたものとみなされる（921①、大判大9.12.17）。

× **052**

相続人が相続財産である建物の不法占有者に対し明渡しを求めても、物の現状を維持する行為であって保存行為にすぎないから（大判大7.4.19、大判大10.7.18参照）、単純承認をしたものとみなされない（921①但書）。

○ **053**

相続人が相続財産の全部又は一部を処分したときは、単純承認したものとみなされる（921①本文、法定単純承認）。この点、921条における「処分」には、管理行為は含まれないため、相続人が保存行為及び602条に定める期間を超えない賃貸借をしたとしても、単純承認をしたものとはみなされない（921①但書）。

054 □□□ 令2-22-イ

相続人は、相続財産を処分したとしても、被相続人が死亡したことを知らず、予想もしていなかった場合には、単純承認をしたものとはみなされない。

055 □□□ 平19-24-ウ

相続人が数人あるときは、共同相続人の全員が共同でしなければ限定承認をすることができない。

056 □□□ 平5-22-ウ（平11-21-ア）

甲が死亡し、その子A、B及びCに相続が開始した。A及びBが相続の単純承認をした後であっても、Cのみで限定承認することができる。

057 □□□ 平9-19-イ（令2-22-オ）

共同相続人の一人が相続の放棄をしたときは、残りの相続人は、全員が共同してするのであれば、限定承認することができる。

058 □□□ 平11-21-ウ

限定承認をした相続人は、善良な管理者の注意をもって、相続財産を管理する義務を負う。

○ 054

921条1号による法定単純承認の効果が生ずるには、相続人が自己のために相続が開始した事実を知りながら相続財産の処分をしたこと、又は、少なくとも相続人が被相続人の死亡した事実を確実に予想しながらあえてその処分をしたことを要する（最判昭42.4.27）。

○ 055

相続人が数人あるときは、限定承認は、共同相続人の全員が共同してのみこれをすることができる（923）。

× 056

限定承認は、共同相続人全員でしなければならないから（923）、共同相続人のうちの一部A及びBが相続の単純承認をしたときは、他の共同相続人Cは、限定承認をすることはできない。

○ 057

限定承認は、共同相続人全員でしなければならないが（923）、相続放棄をした者は初めから相続人でなかったことになるから（939）、残りの相続人は、全員で限定承認をすることができる。

× 058

限定承認をした相続人は、その固有財産におけると同一の注意をもって相続財産の管理を継続すれば足り（926Ⅰ）、善良な管理者の注意をもってする義務を負わない。

相続法

❸ 相続の承認と放棄

059 ☐☐☐
平11-21-エ

限定承認をした相続人は、相続によって得た財産の限度においてのみ被相続人の債務及び遺贈を弁済する責任を負う。

060 ☐☐☐
平19-24-エ

相続人は、自己のために相続の開始があったことを知った時から3か月以内であれば、既にした限定承認を撤回することができる。

061 ☐☐☐
平26-22-オ

全ての相続人が相続を放棄した場合には、相続財産は、そのうちの最後の放棄のあった時に、国庫に帰属する。

062 ☐☐☐
平28-22-ウ

Aが死亡した当時、Aには、亡妻との間の子であるB及びCがいたが、他に親族はいなかった。Aが死亡した後、Cが相続の放棄をした。Cの債権者であるDは、Aの遺産である甲土地につきB及びCが各2分の1の持分を有する旨の相続登記をした上でCの持分を差し押さえた。この場合に、Bは、Dに対し、登記なくして甲土地全部の所有権の取得を対抗することができない。

○ **059**

限定承認は、相続人に被相続人の債務を承継させながら、ただその責任を相続財産の限度にとどめさせるものであるから、限定承認をした相続人は、相続によって得た財産の限度においてのみ被相続人の債務及び遺贈を弁済する責任を負う（922）。

× **060**

相続の承認の効力は確定的であるから、いったん承認した以上は、自己のために相続の開始があったことを知った時から3か月以内でも、撤回することができない（919Ⅰ・915Ⅰ本文）。

× **061**

相続人不存在の場合において、相続財産が国庫に帰属する時期は、特別縁故者に対する相続財産の分与の手続により処分されなかった残余財産を、相続財産の清算人において国庫に引き継いだ時である（最判昭50.10.24参照）。

× **062**

相続放棄（939）の効力は絶対的であり、何人に対しても登記の有無を問わず、その効力を生じ、放棄した相続人の債権者が相続財産である不動産について、相続放棄者も共同相続したものとして相続登記をし、その法定相続分について差押えの登記をしても、それらの登記は無効である（最判昭42.1.20）。

相続財産の清算人／法人を絡めた論点

063 ☐☐☐   平30-23-1

相続開始の時に相続人のあることが明らかでない場合には、相続
財産は、相続財産の清算人を選任する審判が確定した時に、法人
となる。

064 ☐☐☐   平30-23-3

相続人の捜索の公告期間内に相続人としての権利を主張する者が
なかった場合において、その後に、相続財産に属する金銭債務の
債権者があることが相続財産の清算人に知れたときは、相続財産
の清算人は、その債権者に対し、弁済をしなければならない。

065 ☐☐☐   平30-23-4

相続財産全部の包括受遺者のあることが明らかである場合には、
相続財産法人は、成立しない。

066 ☐☐☐   平30-23-5

相続人の捜索の公告期間内に相続人としての権利を主張する者が
なかった場合において、その後に相続人のあることが明らかになっ
たときは、相続人は、特別縁故者が相続財産の分与を受けた後の
残余財産を相続する。

× 063

相続人のあることが明らかでないときは、相続財産は、被相続人死亡時に、法律上当然に法人となる（951）。

× 064

相続人の捜索の公告（952Ⅱ）の期間内に相続人としての権利を主張する者がないときは、相続人並びに相続財産の清算人に知れなかった相続債権者及び受遺者は、その権利を行使することができない（958）。

○ 065

遺言書に相続人は存在しないが相続財産全部の包括受遺者が存在する場合は、951条にいう「相続人のあることが明らかでないとき」には当たらない（最判平9.9.12）。

× 066

952条2項の規定による公告期間内に相続人であることの申出をしなかった者は、958条の規定により、当該期間の徒過とともに、相続財産法人及びその後に財産が帰属する国庫に対する関係で失権するのであって、特別縁故者に対する分与後の残余財産が存する場合においても、当該残余財産について相続権を主張することは許されない（最判昭56.10.30）。

4 遺言

遺言通則規定

□□□ 平8-20-ア

遺言は、15歳未満の者がした場合であっても、取り消されるまでは有効である。

□□□ 平22-20-ウ（平6-19-ウ）改題

15歳未満の未成年者が遺言をするには、その父母の同意を得なければならないが、成年被後見人が遺言をするには、その成年後見人の同意を得る必要はない。

□□□ 平31-22-ア

満15歳に達した未成年者は、他人の遺言の証人になることができる。

□□□ 平20-23-ウ

自筆証書遺言の作成過程における加除その他の変更は、遺言者がその場所を指示し、これを変更した旨を付記して特にこれに署名し、かつ、その変更の場所に印を押さなければ、その効力を生じないが、証書の記載自体からみて明らかな誤記の訂正については、訂正の方式に違背があっても、遺言は有効である。

□□□ 平20-23-ア（令5-23-イ）

自筆証書遺言は二人以上の者が同一の証書ですることができないとされているが、二人の遺言が同じ紙に書かれていても、両者が全く独立の遺言で、切り離せば2通の遺言書になるような場合は、遺言は有効である。

272 LEC東京リーガルマインド　令和7年版　司法書士合格ゾーンポケット判択一過去問肢集
2 民法Ⅱ

× **067**

15歳に達した者は、遺言をすることができる（961）。法は、意思能力があれば足りるものとし、画一的に15歳をもって遺言能力の取得時期としたのである。

× **068**

15歳未満の者のした遺言は、父母の同意があったとしても無効である。成年被後見人は、事理弁識能力を回復している限り、成年後見人の同意なく、遺言をすることができる（961・973Ⅰ）。

× **069**

未成年者は、遺言の証人又は立会人となることができない（974①）。

○ **070**

自筆証書中の加除その他の変更は、遺言者が、その場所を指示し、これを変更した旨を付記して特にこれに署名し、かつ、その変更の場所に印を押さなければ、その効力を生じない（968Ⅲ）が、当該証書の記載自体からみて明らかな誤記の訂正については、訂正の方式の違背があっても、遺言の効力に影響を及ぼさない（最判昭56.12.18）。

○ **071**

二人以上の者が遺言書を合綴して契印をほどこしているが、一方の遺言書と他方の遺言書を容易に切り離すことができる場合には、共同遺言には当たらない（最判平5.10.19）。

072 ▢▢▢   平22-22-ア（平4-18-ウ、平20-23-エ）

自筆証書によって遺言をするに当たってしなければならない遺言者の押印は、実印による必要はなく、指印であってもよい。

073 ▢▢▢   平31-22-イ

自筆証書によって遺言をするに当たっては、押印の代わりに花押を用いることができる。

074 ▢▢▢   平20-23-イ

自筆証書遺言には日付が記載されていることが必要であるが、「長野オリンピック開会式当日」という記載がされている場合は、遺言は有効である。

075 ▢▢▢   平20-23-オ

自筆証書遺言は自署することが必要であるから、カーボン複写の方法によって遺言書が作成された場合は、遺言は無効である。

076 ▢▢▢   令6-22-ウ

遺言者が自筆証書遺言に添付した片面にのみ記載のある財産目録の毎葉に署名し、押印していれば、当該目録について自書することを要しない。

○ **072**

自筆証書によって遺言をするに当たってしなければならない遺言者の押印は、実印による必要はなく、指印であってもよい（968 Ⅰ、最判平元.2.16）。

× **073**

いわゆる花押を書くことは、印章による押印と同視することはできず、968条1項の押印の要件を満たさない（最判平28.6.3）。

○ **074**

自筆証書遺言の日付は、作成時の遺言能力の有無や内容の抵触する複数の遺言の先後を確定するために要求されるから、これを欠くと無効となる（968Ⅰ）。そして、日付が確定できればよいから、本肢のように「長野オリンピック開会式当日」という記載も有効である。

× **075**

遺言の全文、日付及び氏名がカーボン紙を用いて複写の方法で記載されたとしても、自書の要件に欠けるところはないので遺言は有効である（最判平5.10.19）。

○ **076**

自筆証書にこれと一体のものとして相続財産の全部又は一部の目録を添付する場合には、その目録については、自書することを要しない（968Ⅱ前段）。

077 □□□ 平31-22-オ

疾病によって死亡の危急に迫った者は、証人に遺言の趣旨を口授する方式によって、遺言をすることができる。

遺言の効力

078 □□□ 平18-24-ア

遺贈をするには、遺贈者が行為能力を有することが必要である。

079 □□□ 平11-19-オ（平2-23-1、平5-20-1）

遺留分を侵害する特定遺贈は、遺留分を侵害する限度において無効である。

080 □□□ 令2-23-ウ

遺言に停止条件が付されていた場合において、遺言者の死亡後に条件が成就したときは、条件が成就した時から、遺言の効力が生ずる。

081 □□□ 令3-22-イ

Aを被保険者とする生命保険契約において、保険金の受取人がBとされていた場合に、その後、Aのした遺言において保険金の受取人をBからCに変更することは、Cに対する遺贈に当たる。

○ 077

疾病その他の事由によって死亡の危急に迫った者が遺言をしよう
とするときは、証人３人以上の立会いをもって、その一人に遺言
の趣旨を口授して、これをすることが<u>できる</u>（976Ⅰ前段）。

× 078

遺言は15歳に達すればすることができ（961）、遺言者が行為能
力を有することまでは<u>要求されていない</u>。民法は、死者の意思を
尊重する趣旨から、遺言をするには意思能力があれば足りること
としているからである（962参照）。

× 079

遺留分を侵害する遺贈であっても、<u>有効</u>であり、その違反する限
度で遺留分侵害額請求に服するにすぎない（1046Ⅰ）。

○ 080

遺言に停止条件を付した場合において、その条件が遺言者の死亡
後に成就したときは、遺言は、<u>条件が成就した時からその効力を
生ずる</u>（985Ⅱ）。

× 081

自己を被保険者とする生命保険契約の契約者が死亡保険金の受取
人を変更する行為は、1046条１項に規定する<u>遺贈又は贈与に当
たるものではなく、これに準ずるものということもできない</u>（最
判平14.11.5）。

相続法

❹ 遺言

遺贈は、遺言者が死亡する前に、受遺者が死亡したときには、受遺者の相続人に対する遺贈としての効力を有する。

Aは、公正証書によって「Bが大学に合格したら甲土地をBに譲る」旨の遺言をした後に死亡した。その後、Bが大学に合格した後に、Aの唯一の相続人Cが甲土地について相続を原因とするCへの所有権の移転の登記をした。Bは、Aによる遺贈を承認することによって甲土地の所有権を取得することができる。

Aがその子BにA所有の甲土地を遺贈する旨の遺言をした場合、Bは遺贈を放棄することができる。

特定遺贈の受遺者は、自己のために遺贈の効力が生じたことを知った時から3か月以内に、遺贈の放棄をしないときは、その遺贈を承認したものとみなされる。

Aは、自筆証書によって「甲土地をCに譲る」旨の遺言をした後に死亡した。その後、Cが遺贈について何らの意思表示もしないまま死亡し、Cの唯一の相続人BがCを相続した。B（BはAの相続人ではない。）は、Aによる遺贈を承認することによって甲土地の所有権を取得することができる。

× **082**

遺言者が死亡する前に受遺者が死亡した場合には、当該受遺者の相続人がいるときであっても、遺贈の効力は生じない（994Ⅰ）。

○ **083**

受遺者は遺贈の登記をするのでなければ第三者に対抗することができない（最判昭39.3.6）。しかし、相続人は遺贈義務者であり遺贈の当事者に当たるため、ここでいう第三者に含まれない。

○ **084**

受遺者は、遺言者の死亡後、いつでも、遺贈の放棄をすることができる（986Ⅰ）。

× **085**

特定遺贈の受遺者は、遺言者の死亡後、いつでも、遺贈の放棄をすることができる（986Ⅰ）。なお、期間及び方式の制限がない点において包括受遺者と異なる（990・915Ⅰ・938）。

○ **086**

受遺者が遺贈の承認又は放棄をしないで死亡したときは、その相続人は、自己の相続権の範囲内で、遺贈の承認又は放棄をすることができる（988本文）。

包括遺贈を受けた法人は、遺産分割協議に参加することができる。

包括受遺者が相続人でもある場合において、遺贈者が死亡する以前に当該包括受遺者が死亡したときは、当該包括受遺者の相続人が包括受遺者の地位を代襲する。

包括受遺者は、相続人と同一の権利義務を有する。

遺言者の妻を扶養することを負担とする特定遺贈があった場合、受遺者がその負担した義務を履行しないときは、その遺贈は、効力を生じない。

遺言の執行

未成年者であっても、15歳に達していれば、遺言執行者となることができる。

○ **087**

法人は、包括受遺者になることができる。そして、包括受遺者は、相続人と同一の権利義務を有し（990）、法人も遺産分割協議の当事者となることができる。

× **088**

遺贈は、遺言者の死亡以前に受遺者が死亡したときは、その効力を生じない（994Ⅰ）。

○ **089**

包括受遺者は、相続人と同一の権利義務を有する（990）。

× **090**

負担付遺贈の受遺者がその負担した義務を履行しない場合でも、その遺贈の効力は生じており（985Ⅰ）、相続人は、相当の期間を定めてその履行を催告し、その期間内に履行がないときは、遺言の取消しを家庭裁判所に請求することができるだけである（1027）。

× **091**

未成年者及び破産者は、遺言執行者となることができない（1009）。

秘密証書による遺言がされた場合には、その遺言書の保管者は、相続の開始を知った後、遅滞なく、これを家庭裁判所に提出して、その検認を請求しなければならない。

封印のある遺言書は、家庭裁判所において相続人又はその代理人の立会いがなければ開封することができず、これに反して開封された場合には、遺言は無効となる。

特定の不動産の遺贈があった場合において、遺言執行者がいるにもかかわらず、遺贈の相手方でない相続人が当該不動産を第三者に売却し、かつ、当該第三者において遺言執行者がいることを知っていたときは、当該売却行為は無効となる。

特定の不動産を共同相続人以外の第三者に遺贈する旨の遺言がされた場合には、共同相続人らは、遺言執行者を被告として、遺言の無効を理由に、その不動産について共有持分権を有することの確認を求めることができる。

遺産分割方法の指定として遺産に属する特定の不動産を共同相続人の1人に承継させる旨の遺言がされた場合には、遺言執行者は、単独で、当該遺言に基づいて被相続人から当該共同相続人の1人に対する所有権の移転の登記を申請することはできない。

○ **092**

遺言書の保管者は、公正証書による遺言を除き、相続の開始を知った後、遅滞なく、これを家庭裁判所に提出して、その検認を請求しなければならない（1004Ⅰ前段・Ⅱ）。

× **093**

封印のある遺言書は、家庭裁判所において相続人又はその代理人の立会いがなければ開封することができない（1004Ⅲ）。しかし、これに反して開封された場合でも、5万円以下の過料に処せられることはあるが（1005参照）、遺言自体は無効とはならない。

○ **094**

遺言執行者がある場合に、相続人が行った相続財産の処分は無効となる。ただし、その行為の無効を、遺言執行者の存在について善意の第三者に対抗することができない（1013Ⅱ）。

○ **095**

共同相続人は、遺言執行者を被告として遺言の無効を主張して、相続財産について共同相続人が共有持分権を有することの確認を求める訴えを提起することができる（最判昭31.9.18）。

× **096**

遺産の分割の方法の指定として遺産に属する特定の財産を共同相続人の一人又は数人に承継させる旨の遺言があったときは、遺言執行者は、当該共同相続人が899条の2第1項に規定する対抗要件を備えるために必要な行為をすることができる（1014Ⅱ）。

097 ☐☐☐   令3-23-エ

遺言執行者は、やむを得ない事由がある場合には、遺言者が遺言
によって表示した意思に反しても、遺言執行者の責任で第三者に
その任務を行わせることができる。

098 ☐☐☐   令3-23-オ (平8-22-オ)

遺言執行者が複数いる場合の各遺言執行者は、単独で、相続財産
の保存に必要な行為をすることができる。

遺言の撤回・無効・取消し

099 ☐☐☐   平29-22-オ

Aはその子BにA所有の甲土地を遺贈する旨の遺言をした。Cはそ
の子Dに遺産分割方法の指定としてC所有の乙土地を取得させる
旨の遺言をした。この場合、Aは、Bの同意を得なければ、遺言を
撤回することができないが、Cは、Dの同意を得なくても、遺言を
撤回することができる。

100 ☐☐☐   平13-22-ア (平2-23-5、平26-23-ア)

遺言者が公正証書遺言の方式によって甲土地をAに遺贈した場合
であっても、その後、遺言者が自筆証書遺言の方式による遺言に
よって前の遺言を撤回したときは、Aは、甲土地の所有権を取得し
ない。

× **097**

遺言執行者は、自己の責任で第三者にその任務を行わせることができる（1016 I 本文）。ただし、遺言者がその遺言に別段の意思を表示したときは、その意思に従う（1016 I 但書）。

○ **098**

遺言執行者が数人ある場合には、その任務の執行は、過半数で決する。もっとも、保存行為は各遺言執行者が単独ですることができる（1017 I II）。

× **099**

遺言者は、いつでも、遺言の方式に従って、その遺言の全部又は一部を撤回することができる（1022）。

○ **100**

遺言者は、いつでも、遺言の方式に従って、前の遺言の全部又は一部を撤回することができ、この場合の撤回遺言は、前の遺言と同じ方式である必要はない（1022）。

A所有の甲土地について、Aが自筆証書によって「甲土地をBに譲る」旨の遺言をした後に、自筆証書によって「甲土地をCに譲る」旨の遺言をした。その後、Aは、自筆証書によって「甲土地をCに譲る旨の遺言を撤回する」旨の遺言をした後に死亡した。B（BはAの相続人ではない。）は、Aによる遺贈を承認することによって甲土地の所有権を取得することができる。

遺言者が、甲遺言をした後に、それを撤回する乙遺言をした場合には、乙遺言が強迫により取り消されたときであっても、甲遺言の効力が回復することはない。

遺言者が甲土地をAに遺贈した後に、その遺言書を他の書類と誤認して焼却した場合には、Aは、甲土地の所有権を取得しない。

遺言者が甲土地をAに遺贈した後に、これをBに生前贈与した場合には、その生前贈与が遺言者が遺言の内容を失念していたためにされたときであっても、Aは、甲土地の所有権を取得しない。

相続法

× 101

前の遺言が後の遺言と抵触するときは、その抵触する部分については、後の遺言で前の遺言を撤回したものとみなす（1023Ⅰ）とされている。そして、これにより撤回された遺言は、その撤回の行為が、撤回され、取り消され、又は効力を生じなくなるに至ったときであっても、原則として、その効力を回復しない（1025本文）。したがって、Bは甲土地の所有権を取得することはできない。

× 102

撤回行為が錯誤、詐欺又は強迫による場合は、撤回された遺言は、その効力を回復する（1025但書）。

× 103

遺言書を他の書類と誤認して焼却した場合には、「故意に遺言書を破棄したとき」に当たらない。したがって、遺言が撤回したものとみなされることはない（1024前段）。

○ 104

遺言者が、遺言をした後に、その内容と抵触する生前処分をした場合、その抵触する範囲で遺言は撤回したものとみなされる（1023Ⅱ）。したがって、遺言者が甲土地をAに遺贈した後に、これをBに生前贈与した場合には、その生前贈与が、遺言者が遺言の内容を失念していたためにされたものであっても、Aは、甲土地の所有権を取得しない。

相続法

❹ 遺言

Aが、自己所有の甲土地をBに遺贈する旨の遺言をした後、同土地
をCに贈与した場合、Aの死亡後、Cは、所有権の移転の登記を
経ていなくても、同土地の所有権をBに対抗することができる。

Aは、Bに対してA所有の甲土地を贈与したが、その旨の所有権の
移転の登記がされないまま、Cに対して甲土地を遺贈する旨の遺
言をし、その後に死亡した。Aが死亡した当時、Aには、亡妻との
間の子であるB及びCがいたが、他に親族はいなかった。この場合
に、Bは、Cに対し、登記なくして甲土地全部の所有権の取得を対
抗することができない。

遺言者は、その遺言を撤回する権利を放棄することができる。

遺言者が前の遺言で甲土地をAに遺贈し、その遺言書の中で「こ
れが最終の遺言であり、撤回することはない。」旨を明記した場合
には、後の遺言で甲土地をBに遺贈しても、Bは、甲土地の所有権
を取得しない。

○ **105**

Aが甲土地をBに遺贈する旨の遺言をした後、同土地をCに贈与した場合、Bへの遺贈は撤回したものとみなされ、BとCとは対抗関係に立たず、Cは登記なくしてBに対抗することができる。

○ **106**

被相続人が、生前、その所有に係る不動産を推定相続人の一人に贈与したが、その登記が未了の間に、他の推定相続人に当該不動産を特定遺贈し、その後、相続の開始があった場合、当該贈与と当該遺贈による物権変動の優劣は、対抗要件である登記の具備の有無をもって決する（最判昭46.11.16）。

× **107**

遺言者は、その遺言を撤回する権利を放棄することができない（1026）。

× **108**

遺言者が前の遺言で甲土地をAに遺贈し、その遺言書にこれを撤回しない旨を明記していた場合でも、後の遺言で甲土地をBに遺贈したときは、Bは、甲土地の所有権を取得する。

❺ 配偶者居住権

109 ▢▢▢   令4-23-イ

配偶者居住権は、居住建物の所有者の承諾を得た場合であっても、譲渡することができない。

110 ▢▢▢   令4-23-ウ

配偶者短期居住権は、これを登記することにより、居住建物について物権を取得した者その他の第三者に対抗することができる。

111 ▢▢▢   令4-23-エ

配偶者居住権の設定された建物の全部が滅失して使用及び収益をすることができなくなった場合には、配偶者居住権は消滅する。

○ **109**

配偶者居住権は、譲渡することができない（1032Ⅱ）。

× **110**

配偶者短期居住権は、使用借権と同様に、登記による対抗要件を具備することができず、第三者対抗力はない。

○ **111**

居住建物の全部が滅失して使用及び収益をすることができなくなった場合には、配偶者居住権は消滅する（1036・616の2）。

相続法

5 配偶者居住権

6 遺留分

112 □□□

被相続人Aに妻B、子C、子Cの子D及びAの父Eがいる場合に、AがBに対し全財産を遺贈したが、CがAの死亡後に相続放棄をしたときは、Eは、相続財産の2分の1に相続分3分の1を乗じた相続財産の6分の1について、Bに対し遺留分侵害額請求をすることができる。

113 □□□

被相続人Aに妻B及びAの兄Cがいる場合に、AがBに対し全財産を遺贈したときは、Cは、相続財産の2分の1に相続分の4分の1を乗じた相続財産の8分の1について、Bに対し遺留分侵害額請求をすることができる。

114 □□□

被相続人の配偶者が相続の放棄をした場合には、当該配偶者は、遺留分侵害額請求をすることができない。

115 □□□

被相続人Aに妻Bと既に死亡している子Cの子Dがいる場合に、AがBに対し全財産を遺贈したときは、Dは、相続財産の2分の1に相続分2分の1を乗じた相続財産の4分の1について、Bに対し遺留分侵害額請求をすることができる。

○ **112**

代襲原因は、相続開始以前の死亡、相続欠格及び廃除に限られ
（887Ⅱ）、相続放棄は含まれないので被相続人Aの相続人は妻B
と父Eである。また、配偶者と直系尊属が相続人の場合の総体的
遺留分は、被相続人の財産の2分の1である（1042Ⅰ②）。した
がって、父Eは相続財産の2分の1に自己の相続分である3分の
1（900②）を乗じた相続財産の6分の1について、遺留分侵害
額請求をすることができる（1042Ⅱ）。

× **113**

兄弟姉妹である相続人は、遺留分を有しない（1042Ⅰ）。したがっ
て、被相続人Aの兄であるCは、遺留分侵害額請求権を行使する
ことはできない。

○ **114**

遺留分権利者であっても、相続欠格（891）、廃除（892）、相
続放棄（915Ⅰ）により相続権を失った者には遺留分はない。

○ **115**

子の総体的遺留分は、被相続人の財産の2分の1である（1042
Ⅰ②）。したがって、被相続人Aの代襲相続人であるDは、相続
財産の2分の1に自己の相続分の2分の1（887Ⅱ・900①）を
乗じた相続財産の4分の1について、遺留分侵害額請求権を行使
することができる。

相続法

6 遺留分

116 ☐☐☐ 平20-24-ウ

被相続人Aに妻Bと相続欠格者である子C及びその子Dがいる場合に、AがBに対し全財産を遺贈したときは、Dは、相続財産の2分の1に相続分2分の1を乗じた相続財産の4分の1について、Bに対し遺留分侵害額請求をすることができる。

117 ☐☐☐ 平28-23-エ（平6-19-オ、平10-20-ア）

遺留分権利者は、相続の開始前に、遺留分の放棄をすることはできない。

118 ☐☐☐ 平20-24-エ（平10-20-イ、平28-23-オ）

被相続人Aに妻B、嫡出子であるC及びDがいる場合に、AがBに対し全財産を遺贈したが、CがAの生前に家庭裁判所の許可を得て遺留分を放棄していたときは、Dは、相続財産の2分の1に相続分の2分の1を乗じた相続財産の4分の1について、Bに対し遺留分侵害額請求をすることができる。

119 ☐☐☐ 平28-23-オ

遺留分権利者の一人が遺留分の放棄をした場合でも、他の遺留分権利者の遺留分に変動はない。

120 ☐☐☐ 平25-23-イ

Aが相続開始の2年前にCに対して土地を贈与した場合において、当該贈与の当時、遺留分権利者に損害を加えることをAは知っていたものの、Cはこれを知らなかったときは、当該贈与は、遺留分侵害額請求の対象とならない。なお、AとCの間には、親族関係はないものとする。

○ **116**

被相続人の子が、相続欠格に該当したときは、その者の子が代襲して相続人となり（887Ⅱ）、代襲相続人は遺留分を有する（1046Ⅰ）。したがって、被相続人Aの代襲相続人であるDは、相続財産の2分の1（1042Ⅰ②）に相続分の2分の1（1042Ⅱ・900①・901Ⅰ）を乗じた相続財産の4分の1について、遺留分侵害額請求権を行使することができる。

× **117**

相続の開始前における遺留分の放棄は、家庭裁判所の許可を受けたときに限り、その効力を生ずる（1049Ⅰ）。

× **118**

共同相続人の一人がした遺留分の放棄は、他の各共同相続人の遺留分（個別的遺留分）に影響を及ぼさない（1049Ⅱ）。したがって、共同相続人の一人であるCが遺留分の放棄をした場合であっても、他の共同相続人Dは相続財産の2分の1に自己の相続分である4分の1（900①・④）を乗じた相続財産の8分の1についてのみ、遺留分侵害額請求権を行使することができる。

○ **119**

共同相続人の一人のした遺留分の放棄は、他の各共同相続人の遺留分に影響を及ぼさない（1049Ⅱ）。

○ **120**

贈与に関しては、相続開始前1年間にしたものに限り、遺留分侵害額請求の対象となるのが原則であるが、贈与契約の当事者双方が遺留分権利者を害することを知って贈与契約をしたときは、それ以前の贈与であっても遺留分侵害額請求の対象となる（1044Ⅰ）。

Ａがその子ＢにＡ所有の甲土地を遺贈する旨の遺言をした場合、遺贈がＡの配偶者Ｅの遺留分を侵害する場合には、Ｅはその遺留分を保全するのに必要な限度で侵害額請求をすることができるが、Ｃがその子Ｄに遺産分割方法の指定としてＣ所有の乙土地を取得させる旨の遺言をした場合、遺産分割方法の指定がＣの配偶者Ｆの遺留分を侵害する場合には、その遺産分割方法の指定は遺留分を侵害する限度で当然に無効となる。

被相続人Ａが相続開始の６か月前にＤに対して甲土地を贈与するとともに、Ｅに対して乙土地を遺贈した場合には、当該贈与については、当該遺贈について侵害額請求をした後でなければ、侵害額請求をすることができない。

遺留分侵害額請求は、受遺者又は受贈者に対する意思表示によってすれば足り、必ずしも裁判上の請求によることを要しない。

遺留分侵害額請求権の１年の短期消滅時効の起算時は、遺留分権利者が相続の開始及び遺留分を侵害する贈与又は遺贈があったことを知った時である。

× **121**

遺留分侵害行為は当然に無効となるものではなく、遺留分侵害額請求によって、はじめてその効果を覆滅させることができる。そして、これは、遺産分割方法の指定による遺産の相続が他の相続人の遺留分を侵害する場合も同様である（最判平10.2.26参照）。

○ **122**

贈与についての遺留分侵害額請求は、遺贈について先に侵害額請求をした後でなければ、これを行うことはできない（1047Ⅰ①）。

○ **123**

遺留分侵害額請求（1046Ⅰ）は、受遺者又は受贈者に対する意思表示によってすれば足り、必ずしも裁判上の請求によることを要しない（最判昭41.7.14、最判昭44.1.28）。

○ **124**

遺留分侵害額の請求権は、遺留分権利者が相続の開始及び遺留分を侵害する贈与又は遺贈があったことを知った時から1年間行使しないときは時効によって消滅する（1048前段）。

《主要参考文献一覧》

＊「ジュリスト」（有斐閣）

＊「判例時報」（判例時報社）

＊「重要判例解説」（有斐閣）

＊「法律時報別冊　私法判例リマークス」（日本評論社）

＊「基本法コンメンタール民法総則〔第 6 版〕」（日本評論社）

＊「基本法コンメンタール物権〔第 5 版新条文対照補訂版〕」（日本評論社）

＊「基本法コンメンタール債権総論〔第 4 版新条文対照補訂版〕」（日本評論社）

＊「基本法コンメンタール債権各論 I 〔第 4 版新条文対照補訂版〕」（日本評論社）

＊「基本法コンメンタール債権各論 II 〔第 4 版新条文対照補訂版〕」（日本評論社）

＊「基本法コンメンタール親族〔第 5 版〕」（日本評論社）

＊「基本法コンメンタール相続〔第 5 版〕」（日本評論社）

＊「基本法コンメンタール新借地借家法」（日本評論社）

＊「新基本法コンメンタール物権」（日本評論社）

＊「新基本法コンメンタール債権 1」（日本評論社）

＊「新基本法コンメンタール債権 2」（日本評論社）

＊「新基本法コンメンタール親族〔第 2 版〕」（日本評論社）

＊「新基本法コンメンタール相続」（日本評論社）

＊「新版注釈民法(1) ～ (3)、(6)、(7)、(9)、(10)、(13) ～ (18)、(21)、(23)
～ (26)、(28)」（有斐閣）

＊「注釈民法(4) ～ (6)、(10)、(11)、(20)、(22)」（有斐閣）

＊「新注釈民法(1)、(3)、(5) ～ (7)、(14) ～ (17)、(19)」（有斐閣）

＊潮見佳男＝道垣内弘人編「民法判例百選 I 〔第 9 版〕」（有斐閣）

＊窪田充見＝森田宏樹編「民法判例百選 II 〔第 9 版〕」（有斐閣）

＊大村敦志＝沖野眞已編「民法判例百選 III 〔第 3 版〕」（有斐閣）

＊水野紀子＝大村敦志窪田充見編「家族法判例百選〔第 7 版〕」（有斐閣）

＊我妻榮＝有泉亨＝清水誠＝田山輝明著「我妻・有泉コンメンタール民法〔第 8
版〕」（日本評論社）

＊遠藤浩＝川井健＝原島重義＝広中俊雄＝水本浩＝山本進一編「民法(1)〔第
4 版増補補訂 3 版〕、(2) (3)〔第 4 版増補版〕、(4) (6) (8) (9)〔第 4 版増
補補訂版〕、(5) (7)〔第 4 版〕」（有斐閣双書）

＊山田卓生＝河内宏＝安永正昭＝松久三四彦著「民法 I 〔第 4 版〕」（有斐閣 S
シリーズ）

＊淡路剛久＝鎌田薫＝原田純孝＝生熊長幸著「民法 II 〔第 5 版〕」（有斐閣 S シリー
ズ）

＊野村豊弘＝栗田哲男＝池田真朗＝永田眞三郎＝野澤正充著「民法 III 〔第 4 版〕」
（有斐閣 S シリーズ）

＊藤岡康宏＝磯村保＝浦川道太郎＝松本恒雄著「民法Ⅳ〔第 4 版〕」（有斐閣 S シリーズ）

＊佐藤義彦＝伊藤昌司＝右近健男著「民法Ⅴ〔第 3 版〕」（有斐閣 S シリーズ）

＊内田貴著「民法Ⅰ・総則・物権総論〔第 4 版〕」（東京大学出版会）

＊内田貴著「民法Ⅱ・債権各論〔第 3 版〕」（東京大学出版会）

＊内田貴著「民法Ⅲ・債権総論・担保物権〔第 4 版〕」（東京大学出版会）

＊内田貴著「民法Ⅳ・親族・相続〔補訂版〕」（東京大学出版会）

＊近江幸治著「民法講義Ⅰ・民法総則〔第 7 版〕」（成文堂）

＊近江幸治著「民法講義Ⅱ・物権法〔第 4 版〕」（成文堂）

＊近江幸治著「民法講義Ⅲ・担保物権〔第 3 版〕」（成文堂）

＊近江幸治著「民法講義Ⅳ・債権総論〔第 4 版〕」（成文堂）

＊近江幸治著「民法講義Ⅴ・契約法〔第 4 版〕」（成文堂）

＊近江幸治著「民法講義Ⅵ・事務管理・不当利得・不法行為〔第 3 版〕」（成文堂）

＊近江幸治著「民法講義Ⅶ・親族法・相続法」（成文堂）

＊船越隆司著「民法総則〔第 3 版〕」（尚学社）

＊船越隆司著「物権法〔第 3 版〕」（尚学社）

＊船越隆司著「担保物権〔第 3 版〕」（尚学社）

＊船越隆司著「債権総論」（尚学社）

＊我妻榮＝有泉亨＝川井健著「民法 1〔第 4 版〕・2〔第 3 版〕」（勁草書房）

＊我妻榮＝有泉亨＝遠藤浩＝川井健著「民法 3〔第 4 版〕」（勁草書房）

＊我妻榮著「（民法講義Ⅰ）新訂・民法総則」（岩波書店）

＊我妻榮著「（民法講義Ⅱ）新訂・物権法」（岩波書店）

＊我妻榮著「（民法講義Ⅲ）新訂・担保物権法」（岩波書店）

＊我妻榮著「（民法講義Ⅳ）新訂・債権総論」（岩波書店）

＊我妻榮著「（民法講義Ⅴ 1）債権各論・上」（岩波書店）

＊我妻榮著「（民法講義Ⅴ 2）債権各論・中 1」（岩波書店）

＊我妻榮著「（民法講義Ⅴ 3）債権各論・中 2」（岩波書店）

＊我妻榮著「（民法講義Ⅴ 4）債権各論・下 1」（岩波書店）

＊川井健著「民法概論 1・民法総則〔第 4 版〕」（有斐閣）

＊川井健著「民法概論 2・物権〔第 2 版〕」（有斐閣）

＊川井健著「民法概論 3・債権総論〔第 2 版補訂版〕」（有斐閣）

＊川井健著「民法概論 4・債権各論〔補訂版〕」（有斐閣）

＊川井健著「民法概論 5・親族相続〔補訂版〕」（有斐閣）

＊佐久間毅＝石田剛＝山下純司＝原田昌和著「LegalQuest　民法Ⅰ・総則〔第 2 版補訂版〕」（有斐閣）

＊石田剛＝武川幸嗣＝占部洋之＝田髙寛貴＝秋山靖浩著「LegalQuest　民法Ⅱ・物権〔第 4 版〕」（有斐閣）

＊手島豊＝藤井徳展＝大澤慎太郎著「LegalQuest　民法Ⅲ・債権総論」（有斐閣）

＊曽野裕夫＝松井和彦＝丸山絵美子著「LegalQuest　民法Ⅳ・契約」（有斐閣）

＊橋本佳幸＝大久保邦彦＝小池泰著「LegalQuest　民法Ⅴ・事務管理・不当利得・不法行為〔第2版〕」（有斐閣）

＊前田陽一＝本山敦＝浦野由紀子著「LegalQuest　民法Ⅵ・親族相続〔第6版〕」（有斐閣）

＊平野裕之著「民法総則」（日本評論社）

＊平野裕之著「債権総論」（日本評論社）

＊平野裕之著「債権各論1」（日本評論社）

＊平野裕之著「債権各論2」（日本評論社）

＊佐久間毅著「民法の基礎1・総則〔第5版〕」（有斐閣）

＊佐久間毅著「民法の基礎2・物権〔第2版〕」（有斐閣）

＊加藤雅信著「民法総則〔第2版〕」（有斐閣）

＊加藤雅信著「事務管理・不当利得・不法行為〔第2版〕」（有斐閣）

＊川島武宣著「民法総則」（有斐閣法律学全集）

＊四宮和夫＝能見善久著「民法総則〔第9版〕」（弘文堂）

＊山川一陽＝小野健太郎著「要説民法総則・物権法〔3訂版〕」（法研出版）

＊山本敬三著「民法講義Ⅰ　総則〔第3版〕」（有斐閣）

＊舟橋諄一著「物権法」（有斐閣法律学全集）

＊高木多喜男著「担保物権法〔第4版〕」（有斐閣法学叢書2）

＊道垣内弘人著「担保物権法〔第4版〕」（有斐閣）

＊柚木馨＝高木多喜男著「担保物権法〔第3版〕」（有斐閣法律学全集）

＊奥田昌道著「債権総論〔増補版〕」（悠々社）

＊潮見佳男著「法律学の森　新債権総論Ⅰ」（信山社）

＊潮見佳男著「法律学の森　新債権総論Ⅱ」（信山社）

＊潮見佳男著「プラクティス民法　債権総論〔第5版補訂版〕」（信山社）

＊潮見佳男著「民法(全)〔第3版〕」（有斐閣）

＊加藤一郎著「不法行為〔増補版〕」（有斐閣法律学全集）

＊山野目章夫著「民法概論1・民法総則〔第2版〕」（有斐閣）

＊山野目章夫著「民法概論2・物権法」（有斐閣）

＊山野目章夫著「民法概論4・債権各論」（有斐閣）

＊河上正二著「民法総則講義」（日本評論社）

＊松岡久和著「物権法」（成文堂）

＊松岡久和著「担保物権法」（日本評論社）

＊松井宏興著「物権法〔第2版〕」（成文堂）

＊松井宏興著「担保物権法〔第2版〕」（成文堂）

＊松井宏興著「債権総論〔第2版〕」（成文堂）

＊中田裕康著「債権総論〔第4版〕」（岩波書店）

＊中田裕康著「契約法〔新版〕」（有斐閣）

＊中舎寛樹著「物権法　物権・担保物権」（日本評論社）

＊中舎寛樹著「債権法　債権総論・契約」（日本評論社）

＊安永正昭著「講義　物権・担保物権法〔第 4 版〕」（有斐閣）

＊稲本洋之助・澤野順彦編「コンメンタール借地借家法〔第 4 版〕」（日本評論社）

＊裁判所職員総合研修所監修「物権法講義案〔再訂版〕」（司法協会）

＊裁判所職員総合研修所監修「担保物権法講義案〔3 訂版〕」（司法協会）

＊裁判所職員総合研修所監修「親族法相続法講義案〔6 訂再訂版〕」（司法協会）

＊潮見佳男著「詳解相続法〔第 2 版〕」（弘文堂）

＊二宮周平著「新法学ライブラリー 9・家族法〔第 5 版〕」（新世社）

＊窪田充見著「家族法〔第 4 版〕」（有斐閣）

＊清水節著「判例先例親族法 II 親子」（日本加除出版）

＊清水節著「判例先例親族法 III 親権」（日本加除出版）

＊松原正明著「全訂判例先例相続法 I ～ V」（日本加除出版）

＊新公益法人制度研究会編著「一問一答　公益法人関連三法」（商事法務）

＊飛澤知行編著「一問一答　平成 23 年　民法等改正」（商事法務）

＊筒井健夫＝村松秀樹　編著「一問一答　民法（債権関係）改正」（商事法務）

＊潮見佳男著「民法（債権関係）改正法の概要」（金融財務事情研究会）

＊山川一陽＝松嶋隆弘　編著「相続法改正のポイントと実務への影響」（日本加除出版）

＊堂薗幹一郎＝野口宣大編著「一問一答　新しい相続法・平成 30 年民法等（相続法）改正、遺言書保管法の解説」（商事法務）

令和7年版 司法書士 合格ゾーン ポケット判 択一過去問肢集
2 民法II

2021年11月15日　第1版　第1刷発行
2024年9月20日　第4版　第1刷発行

編著者●株式会社　東京リーガルマインド
　　　　LEC総合研究所　司法書士試験部

発行所●株式会社　東京リーガルマインド
　　　　〒164-0001　東京都中野区中野4-11-10
　　　　アーバンネット中野ビル
　　　　LECコールセンター　☎0570-064-464
　　　　受付時間　平日9：30〜19：30/土・日・祝10：00〜18：00
　　　　※このナビダイヤルは通話料お客様ご負担となります。

書店様専用受注センター　TEL 048-999-7581 / FAX 048-999-7591
　　　　受付時間　平日9：00〜17：00/土・日・祝休み
www.lec-jp.com/

印刷・製本●情報印刷株式会社

新15ヵ月合格コース

短期合格のノウハウが詰まったカリキュラム

LECが初めて司法書士試験の学習を始める方に自信をもってお勧めする講座が新15ヵ月合格コースです。司法書士受験指導40年以上の積み重ねたノウハウと、試験傾向の徹底的な分析により、これだけ受講すれば合格できるカリキュラムとなっております。司法書士試験対策は、毎年一発・短期合格を輩出してきたLECにお任せください。

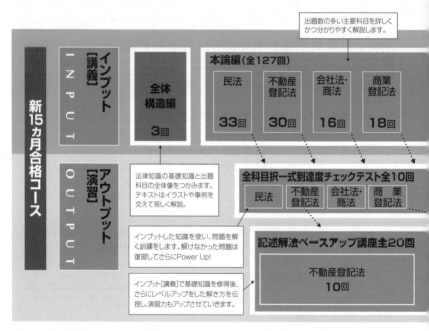

インプットとアウトプットのリンクにより短期合格を可能に！

合格に必要な力は、適切な情報収集（インプット）→知識定着（復習）→実践による知識の確立（アウトプット）という3つの段階を経て身に付くものです。新15ヵ月合格コースではインプット講座に対応したアウトプットを提供し、これにより短期合格が確実なものとなります。

初学者向け総合講座

本コースは全くの初学者からスタートし、司法書士試験に合格することを狙いとしています。入門から合格レベルまで、必要な情報を詳しくかつ法律の勉強が初めての方にもわかりやすく解説します。

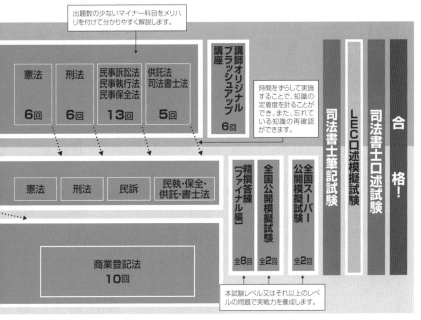

出題数の少ないマイナー科目をメリハリを付けて分かりやすく解説します。

| 憲法 6回 | 刑法 6回 | 民事訴訟法 民事執行法 民事保全法 13回 | 供託法 司法書士法 5回 | 講師オリジナル講座 ブラッシュアップ講座 6回 |

時間をずらして実施することで、知識の定着度を計ることができ、また、忘れている知識の再確認ができます。

| 憲法 | 刑法 | 民訴 | 民執・保全・供託・書士法 |

商業登記法 10回

| 精撰答練「ファイナル編」 全8回 | 全国公開模擬試験 全2回 | 全国スーパー公開模擬試験 全2回 |

本試験レベル又はそれ以上のレベルの問題で実戦力を養成します。

司法書士筆記模擬試験　LEC口述模擬試験　司法書士口述試験　合格！

※本カリキュラムは、2024年8月1日現在のものであり、講座の内容・回数等が変更になる場合があります。予めご了承ください。

詳しくはこちら⇒ www.lec-jp.com/shoshi/

■お電話での講座に関するお問い合わせ 平日：9:30～19:30　土日祝：10:00～18:00
※このナビダイヤルは通話料お客様ご負担になります。※固定電話・携帯電話共通（一部のPHS・IP電話からのご利用可能）。

LECコールセンター　0570-064-464

スマホで司法書士 S式合格講座

スキマ時間を有効活用！1回15分で続けやすい講座

講義の視聴が**スマホ完結！**

1回15分のユニット制だからスキマ時間にいつでもどこでも**手軽に学習可能**です。忙しい方でも続けやすいカリキュラムとなっています。

本講座は、LECが40年以上の司法書士受験指導の中で積み重ねた学習方法、短期合格を果たすためのノウハウを凝縮し、本試験で必ず出題されると言ってもいい重要なポイントに絞って講義をしていきます。

1st. STEP	基礎知識修得期 (INPUT)	**択一式対策** **S式合格講座** 15分×560ユニット
2nd. STEP	応用力養成期 (INPUT) (OUTPUT)	記述式対策 **記述式対策講座** 15分×98ユニット
3rd. STEP	実践力養成期 (OUTPUT)	直前対策 **全国公開模擬試験** 全2回

司法書士試験

※過去問対策、問題演習対策を独学で行うのが不安な方には、それらの対策ができる講座・コースもご用意しています。

通信専用

初学者向け通信講座

こんな希望をお持ちの方におすすめ
○これから初めて法律を学習していきたい
○通勤・通学、家事の合間のスキマ時間を有効活用したい
○いつでもどこでも手軽に講義を受講したい
○司法書士試験で重要なポイントに絞って学習したい
○独学での学習に限界を感じている

過去問対策

過去問
演習講座
15分
×60ユニット

択一式対策

一問一答
オンライン
問題集

全国スーパー公開模擬試験
全2回

※本カリキュラムは、2024年8月1日現在のものであり、講座の内容・回数等が変更になる場合があります。予めご了承ください。

詳しくはこちら⇒ www.lec-jp.com/shoshi/

■お電話での講座に関するお問い合わせ 平日：9：30〜19：30　土日祝：10：00〜18：00
※このナビダイヤルは通話料お客様ご負担になります。※固定電話・携帯電話共通（一部の PHS・IP 電話からのご利用可能）。

LECコールセンター　0570-064-464

LEC Webサイト ▷▷▷ **www.lec-jp.com/**

情報盛りだくさん！

資格を選ぶときも，
講座を選ぶときも，
最新情報でサポートします！

最新情報
各試験の試験日程や法改正情報，対策講座，模擬試験の最新情報を日々更新しています。

資料請求
講座案内など無料でお届けいたします。

受講・受験相談
メールでのご質問を随時受付けております。

よくある質問
LECのシステムから，資格試験についてまで，よくある質問をまとめました。疑問を今すぐ解決したいなら，まずチェック！

書籍・問題集（LEC書籍部）
LECが出版している書籍・問題集・レジュメをこちらで紹介しています。

充実の動画コンテンツ！

ガイダンスや講演会動画，
講義の無料試聴まで
Webで今すぐCheck！

動画視聴OK
パンフレットやWebサイトを見てもわかりづらいところを動画で説明。いつでもすぐに問題解決！

Web無料試聴
講座の第1回目を動画で無料試聴！気になる講義内容をすぐに確認できます。

LEC 全国学校案内

*講座のお問合せ，受講相談は最寄りのLEC各校へ

LEC本校

■ 北海道・東北

札 幌本校 ☎011(210)5002
〒060-0004 北海道札幌市中央区北4条西5-1 アスティ45ビル

仙 台本校 ☎022(380)7001
〒980-0022 宮城県仙台市青葉区五橋1-1-10 第二河北ビル

■ 関東

渋谷駅前本校 ☎03(3464)5001
〒150-0043 東京都渋谷区道玄坂2-6-17 渋ުシネタワー

池 袋本校 ☎03(3984)5001
〒171-0022 東京都豊島区南池袋1-25-11 第15野萩ビル

水道橋本校 ☎03(3265)5001
〒101-0061 東京都千代田区神田三崎町2-2-15 Daiwa三崎町ビル

新宿エルタワー本校 ☎03(5325)6001
〒163-1518 東京都新宿区西新宿1-6-1 新宿エルタワー

早稲田本校 ☎03(5155)5501
〒162-0045 東京都新宿区馬場下町62 三朝庵ビル

中 野本校 ☎03(5913)6005
〒164-0001 東京都中野区中野4-11-10 アーバンネット中野ビル

立 川本校 ☎042(524)5001
〒190-0012 東京都立川市曙町1-14-13 立川MKビル

町 田本校 ☎042(709)0581
〒194-0013 東京都町田市原町田4-5-8 MIキューブ町田イースト

横 浜本校 ☎045(311)5001
〒220-0004 神奈川県横浜市西区北幸2-4-3 北幸GM21ビル

千 葉本校 ☎043(222)5009
〒260-0015 千葉県千葉市中央区富士見2-3-1 塚本大千葉ビル

大 宮本校 ☎048(740)5501
〒330-0002 埼玉県さいたま市大宮区宮町1-24 大宮GSビル

■ 東海

名古屋駅前本校 ☎052(586)5001
〒450-0002 愛知県名古屋市中村区名駅4-6-23 第三堀内ビル

静 岡本校 ☎054(255)5001
〒420-0857 静岡県静岡市葵区御幸町3-21 ペガサート

■ 北陸

富 山本校 ☎076(443)5810
〒930-0002 富山県富山市新富町2-4-25 カーニープレイス富山

■ 関西

梅田駅前本校 ☎06(6374)5001
〒530-0013 大阪府大阪市北区茶屋町1-27 ABC-MART梅田ビル

難波駅前本校 ☎06(6646)6911
〒556-0017 大阪府大阪市浪速区湊町1-4-1
大阪シティエアターミナルビル

京都駅前本校 ☎075(353)9531
〒600-8216 京都府京都市下京区東洞院通七条下ル2丁目
東塩小路町680-2 木村食品ビル

四条烏丸本校 ☎075(353)2531
〒600-8413 京都府京都市下京区烏丸通仏光寺下ル
大政所町680-1 第八長谷ビル

神 戸本校 ☎078(325)0511
〒650-0021 兵庫県神戸市中央区三宮町1-1-2 三宮セントラルビル

■ 中国・四国

岡 山本校 ☎086(227)5001
〒700-0901 岡山県岡山市北区本町10-22 本町ビル

広 島本校 ☎082(511)7001
〒730-0011 広島県広島市中区基町11-13 合人社広島紙屋町アネックス

山 口本校 ☎083(921)8911
〒753-0814 山口県山口市吉敷下東 3-4-7 リアライズⅢ

高 松本校 ☎087(851)3411
〒760-0023 香川県高松市寿町2-4-20 高松センタービル

松 山本校 ☎089(961)1333
〒790-0003 愛媛県松山市三番町7-13-13 ミツネビルディング

■ 九州・沖縄

福 岡本校 ☎092(715)5001
〒810-0001 福岡県福岡市中央区天神4-4-11 天神ショッパーズ
福岡

那 覇本校 ☎098(867)5001
〒902-0067 沖縄県那覇市安里2-9-10 丸姫産業第2ビル

■ EYE関西

EYE 大阪本校 ☎06(7222)3655
〒530-0013 大阪府大阪市北区茶屋町1-27 ABC-MART梅田ビル

EYE 京都本校 ☎075(353)2531
〒600-8413 京都府京都市下京区烏丸通仏光寺下ル
大政所町680-1 第八長谷ビル

LEC提携校

＊提携校はLECとは別の経営母体が運営をしております。
＊提携校は実施講座およびサービスにおいてLECと異なる部分がございます。

■■ 北海道・東北

八戸中央校【提携校】 ☎0178(47)5011
〒031-0035 青森県八戸市寺横町13 第1朋友ビル 新教育センター内

弘前校【提携校】 ☎0172(55)8831
〒036-8093 青森県弘前市城東中央1-5-2
まなびの森 弘前城東予備校内

秋田校【提携校】 ☎018(863)9341
〒010-0964 秋田県秋田市八橋鯲沼町1-60
株式会社アキタシステムマネジメント内

■■ 関東

水戸校【提携校】 ☎029(297)6611
〒310-0912 茨城県水戸市見川2-3079-5

所沢校【提携校】 ☎050(6865)6996
〒359-0037 埼玉県所沢市くすのき台3-18-4 所沢K・Sビル
合同会社LPエデュケーション内

日本橋校【提携校】 ☎03(6661)1188
〒103-0025 東京都中央区日本橋茅場町2-5-6 日本橋大江戸ビル
株式会社大江戸コンサルタント内

■■ 東海

沼津校【提携校】 ☎055(928)4621
〒410-0048 静岡県沼津市新宿町3-15 萩原ビル
M-netパソコンスクール沼津校内

■■ 北陸

新潟校【提携校】 ☎025(240)7781
〒950-0901 新潟県新潟市中央区弁天3-2-20 弁天501ビル
株式会社大江戸コンサルタント内

金沢校【提携校】 ☎076(237)3925
〒920-8217 石川県金沢市近岡町845-1 株式会社アイ・アイ・ピー金沢内

福井南校【提携校】 ☎0776(35)8230
〒918-8114 福井県福井市羽水2-701 株式会社ヒューマン・デザイン内

■■ 関西

和歌山駅前校【提携校】 ☎073(402)2888
〒640-8342 和歌山県和歌山市友田町2-145
KEG教育センタービル 株式会社KEGキャリア・アカデミー内

■■ 中国・四国

松江殿町校【提携校】 ☎0852(31)1661
〒690-0887 島根県松江市殿町517 アルファステイツ殿町
山路イングリッシュスクール内

岩国駅前校【提携校】 ☎0827(23)7424
〒740-0018 山口県岩国市麻里布町1-3-3 岡村ビル 英光学院内

新居浜駅前校【提携校】 ☎0897(32)5356
〒792-0812 愛媛県新居浜市坂井町2-3-8 パルティフジ新居浜駅前店内

■■ 九州・沖縄

佐世保駅前校【提携校】 ☎0956(22)8623
〒857-0862 長崎県佐世保市白南風町5-15 智翔館内

日野校【提携校】 ☎0956(48)2239
〒858-0925 長崎県佐世保市椎木町336-1 智翔館日野校内

長崎駅前校【提携校】 ☎095(895)5917
〒850-0057 長崎県長崎市大黒町10-10 KoKoRoビル
minatoコワーキングスペース内

高原校【提携校】 ☎098(989)8009
〒904-2163 沖縄県沖縄市大里2-24-1
有限会社スキップヒューマンワーク内

書籍の訂正情報について

このたびは，弊社発行書籍をご購入いただき，誠にありがとうございます。
万が一誤りの箇所がございましたら，以下の方法にてご確認ください。

1 訂正情報の確認方法

書籍発行後に判明した訂正情報を順次掲載しております。
下記Webサイトよりご確認ください。

www.lec-jp.com/system/correct/

2 ご連絡方法

上記Webサイトに訂正情報の掲載がない場合は，下記Webサイトの
入力フォームよりご連絡ください。

lec.jp/system/soudan/web.html

フォームのご入力にあたりましては，「Web教材・サービスのご利用について」の
最下部の「ご質問内容」に下記事項をご記載ください。

> ・対象書籍名(○○年版，第○版の記載がある書籍は併せてご記載ください)
> ・ご指摘箇所(具体的にページ数と内容の記載をお願いいたします)

ご連絡期限は，次の改訂版の発行日までとさせていただきます。
また，改訂版を発行しない書籍は，販売終了日までとさせていただきます。

※上記「2ご連絡方法」のフォームをご利用になれない場合は，①書籍名，②発行年月日，③ご指摘箇所，を記載の上，郵送
にて下記送付先にご送付ください。確認した上で，内容理解の妨げとなる誤りについては，訂正情報として掲載させてい
ただきます。なお，郵送でご連絡いただいた場合は個別に返信しておりません。

送付先：〒164-0001 東京都中野区中野4-11-10 アーバンネット中野ビル
株式会社東京リーガルマインド 出版部 訂正情報係

> ・誤りの箇所のご連絡以外の書籍の内容に関する質問は受け付けておりません。
> また，書籍の内容に関する解説，受験指導等は一切行っておりませんので，あらかじめ
> ご了承ください。
> ・お電話でのお問合せは受け付けておりません。

講座・資料のお問合せ・お申込み

LECコールセンター ☎ 0570-064-464

受付時間：平日9：30～19：30/土・日・祝10：00～18：00

※このナビダイヤルの通話料はお客様のご負担となります。
※このナビダイヤルは講座のお申込みや資料のご請求に関するお問合せ専用ですので，書籍の正誤に関
するご質問をいただいた場合，上記「2連絡方法」のフォームをご案内させていただきます。